W9-DGO-559

ILUSIONES ÓPTICAS

LAS IMÁGENES ENGAÑOSAS E ILUSORIAS MÁS ESPECTACULARES.
¡VERLO PARA CREERLO!

Página 4
Saltos de trampolín en Palm Springs (California), día de la inauguración de la nueva piscina El Mirador, año 1929: parece que el saltador Dutch Smith ha lanzado hacia arriba a la saltadora Georgia Coleman. Sin embargo, la realidad es que Georgia Coleman salta desde un trampolín situado a mayor altura que el de Dutch Smith. ¡Una sincronización perfecta!

Maquetación: Sabine Vonderstein, Colonia (Alemania)
Documentación fotográfica: Barbara Linz, Colonia (Alemania)
Proyecto y realización: Nazire Ergün, Colonia (Alemania)

Litografía: Klaussner Medien Service GmbH, Colonia

Parragon Books Ltd
Queen Street House
4 Queen Street
Bath BA1 1HE, Reino Unido

Traducción del alemán: Lidia Álvarez Grifoll para LocTeam, Barcelona
Redacción y maquetación de la edición en español: LocTeam, Barcelona

ISBN 978-1-4075-4146-4

Impreso en Indonesia

ATENCIÓN: Algunas imágenes reproducidas en este libro pueden provocar sensación de mareo y pérdida de orientación si se contemplan durante demasiado tiempo. La editorial no se hace responsable de posibles daños personales o materiales.

ILUSIONES ÓPTICAS

LAS IMÁGENES ENGAÑOSAS E ILUSORIAS MÁS ESPECTACULARES.
¡VERLO PARA CREERLO!

INGA MENKHOFF

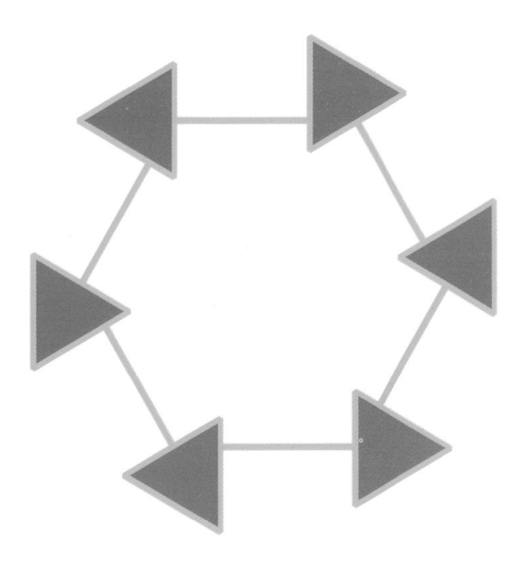

EL MIRADOR HOTEL
EL MIRADOR HOTEL PALM SPRINGS CALIF

ÍNDICE

PERCEPCIONES VISUALES

Una imagen vale más que mil palabras. Pero ¿es del todo cierto? La percepción humana significa, ante todo, percepción visual. Ningún órgano sensorial nos proporciona tanta información como nuestros ojos. Ellos nos permiten ver lo que nos rodea. Sin embargo, lo que vemos no siempre corresponde a la realidad. Percibimos espacios y figuras donde no los hay, distinguimos movimientos, imágenes y colores que no existen, o calculamos mal la longitud y el tamaño de los objetos. Existe una gran variedad de ejemplos de ilusiones ópticas y la causa reside en nuestra percepción visual. A pesar de todo, y aunque sepamos que se trata de un engaño, no hay nada que podamos hacer para corregir la percepción errónea.

Pintura mural de Pompeya, siglo I d. C.. Los artistas de Pompeya aprovecharon las posibilidades de la ilusión óptica. Las preferidas eran las perspectivas ficticias de paisajes arquitectónicos.

PERCEPCIÓN VISUAL

UNA INTERACCIÓN (CASI) PERFECTA DE OJOS Y CEREBRO

¿Una cúpula imponente? Las apariencias engañan, la cúpula no existe. Mediante la distorsión de la perspectiva, el pintor y arquitecto italiano Andrea Pozzo consiguió crear una ilusión óptica perfecta en la iglesia romana de San Ignacio (siglo XVII).

Un turista entra en la iglesia barroca de San Ignacio en Roma. Fascinado por la lujosa decoración, recorre el templo y repara en una indicación que hay en el suelo. Se detiene, levanta la mirada y comprueba admirado que se encuentra bajo una cúpula imponente. ¿Cómo es posible? Había contemplado la iglesia durante un buen rato desde el exterior. ¡Y no se veía ninguna cúpula! Al cabo de un rato, mientras toma un expreso en una pequeña cafetería, hojea una revista. Su mirada se detiene en un anuncio. Las letras parecen desprenderse de la página y moverse formando ondas. ¿Cómo puede ser? Al caer la tarde, el turista se sienta en una terraza de una pequeña localidad situada en los alrededores de Roma. Contempla la puesta de sol. A medida que el astro desciende en el horizonte, parece más grande. ¿Se debe a la curvatura de la Tierra o es que el sol aumenta realmente de tamaño?

Una cúpula que surge de la nada, letras que bailan en una revista y un sol que se agranda: el observador lo ha visto todo con sus propios ojos. Y, sin embargo, nada de eso es real.

Estos tres ejemplos demuestran que la percepción humana no está libre de errores. Para entender cómo se producen esos errores y cuándo aparecen, es importante tener algunas nociones básicas de nuestro mecanismo de percepción.

De todos nuestros órganos sensoriales, el ojo es el que tiene mayor capacidad de captación: a diferencia de los animales, el ser humano, cuya percepción es eminentemente visual, obtiene aproximadamente un 80 por ciento de la información a través de los ojos. En el procesamiento de los estímulos visuales son decisivos los llamados receptores, de los cuales unos 130 millones residen en la retina. Están unidos a fibras nerviosas que convergen en el nervio óptico. Precisamente donde el nervio óptico parte del ojo en dirección a la corteza cerebral, se encuentra una zona de dos milímetros desprovista de receptores: es la llamada «mancha ciega», causante de desconcertantes anomalías en la percepción.

El ejemplo de las cartas blancas y negras que aparece en la página siguiente ilustra este proceso. Acérquela a sus ojos. Cierre el ojo derecho y fije el ojo izquierdo en la imagen de la derecha. A continuación, aleje lentamente la imagen. Cuando la tenga a una distancia de unos 25 centímetros, comprobará que ya no puede ver las flores de la imagen de la izquierda.

La mancha ciega: si cerramos el ojo derecho y nos concentramos en la figura de la derecha, a una distancia de unos 25 centímetros la figura de la izquierda desaparece.

¿Qué ocurre? A una distancia de unos 25 centímetros (la distancia exacta varía según el observador), la figura de la derecha entra en la mancha ciega de la retina. La falta de receptores sensibles a la luz en esa zona provoca que no percibamos las flores. En su lugar vemos una superficie blanca.

En la vida diaria, no apreciamos ninguna carencia provocada por la mancha ciega. Ello se debe, por un lado, al movimiento incesante de los ojos, que exploran el entorno cambiando constantemente de dirección, y, por otro, a la no coincidencia de las zonas insensibles a la luz del ojo derecho y del ojo izquierdo. No obstante, algunos procesos psicológicos también se encargan de llenar el vacío con colores y fragmentos de las imágenes circundantes.

Pero ¿cómo se forma una imagen ante nuestros ojos? ¿Cómo funciona el proceso de visión? Respondiendo en pocas palabras: la visión se consuma en dos fases. En la primera fase se desencadenan procesos químicos y físicos: el ojo capta energía electromagnética que los receptores oculares transforman en estímulos nerviosos y que a su vez llegan al cerebro a través del nervio óptico. Estos procesos son sumamente complejos y no son esenciales para comprender las ilusiones ópticas. El siguiente paso es decisivo: en la corteza cerebral, los estímulos ópticos se procesan y se analizan. Sólo entonces podemos reconocerlos. Para interpretar los estímulos visuales, el cerebro recurre, por un lado, a la experiencia y a lo aprendido y, por otro, analiza el resto de información que llega simultáneamente al cerebro a través de otros órganos sensoriales. No obstante, eso no significa que un mismo objeto se perciba siempre del mismo modo. La puesta de sol es un ejemplo ilustrativo en este caso. El tamaño del sol permanece inalterado, pero nuestro cerebro nos transmite dimensiones distintas. La causa es la percepción conjunta de los objetos en el contexto de su entorno. En el cielo no hay puntos de referencia y por eso el sol parece bastante pequeño. En el horizonte, en cambio, los árboles, las torres de las iglesias, los barcos y otros objetos destacados nos sirven de puntos de comparación. Y eso hace que el sol parezca más grande que cuando lo vemos en el cielo.

¿121314 o ABC? Ambas lecturas son posibles.

¿Qué hay en la imagen de la página 9?

Dependiendo de si realizamos una lectura horizontal o vertical, desciframos «ABC» o «121314». Nuestro cerebro analiza la imagen según el contexto, de modo que el proceso de reconocimiento sigue leyes lógicas.

A primera vista, parecen ovejas en un prado. Sin embargo, si observamos con más atención, veremos otra cosa.

Este trampantojo, creado en el siglo XIX en el palacio Dolmabahçe de Estambul, simula una ventana con vistas al cielo: ¡una ilusión perfecta!

¿Qué ve en este prado?

Un primer vistazo a la fotografía de la izquierda transmite una imagen aparentemente inequívoca: un rebaño de ovejas apiñado en un prado. Pero ¿qué vemos si observamos con más atención? Se trata de un grupo de personas desnudas, agachadas en el suelo y muy juntas. El hecho de que este tipo de imágenes no forme parte de nuestra experiencia cotidiana provoca que al principio nuestro cerebro interprete erróneamente las señales ópticas.

¿Puede leer este texto?

Sgúen un etsduio, no iomrpta el óedrn en el que aaerpcen las ltreas en una palbara. Smreipe y cnaudo la pmerira y la útmila eétsn en su lagur crorcteo pdmreoos leaerls sin garn dficiltaud. Etso es así pruqoe no leoems las parablas lerta a lrtea snio gobelamtnle, de un úicno vitzaso.

Aunque sólo la primera y la última letra de cada palabra están en la posición correcta, somos capaces de leer el texto casi sin esfuerzo. Esto demuestra, por un lado, que no percibimos las palabras como una sucesión de letras sueltas, sino como un todo. Y, por otro, que nuestro cerebro es capaz de ordenar lo desordenado y de dar sentido a lo que parece no tenerlo. En este sentido, nuestras experiencias contribuyen en gran medida.

Así pues, lo que vemos no tiene por qué coincidir necesariamente con la realidad. Se supone que, para reconocer los objetos, nuestro cerebro analiza los estímulos visuales. Y pueden producirse errores. A veces, estos errores de percepción nos molestan. Aunque, normalmente, las múltiples variedades de ilusiones ópticas nos desconciertan y nos fascinan a la vez.

Por eso no es extraño que las posibilidades que ofrecen las ilusiones ópticas se hayan aprovechado desde la época clásica en la pintura y en la arquitectura, y se hayan creado numerosas formas de arte que, en general, se denominan «trampantojos» (de *trampa ante ojo*). Así, por ejemplo, aparecen objetos ilusorios en pinturas, las propias pinturas se convierten en objeto ilusorio o bien se representan animales, personas y objetos en murales o fachadas de manera tan precisa que no dudamos ni de su presencia ni de su existencia. Gracias al redescubrimiento de la perspectiva y de la pintura ilusoria, a los artistas modernos se les han abierto posibilidades ilimitadas, sobre todo en el terreno de la arquitectura. Gracias a la hábil utilización de perspectivas engañosas, espacios pequeños se convierten en salas imponentes, pasillos cortos en larguísimos corredores y frescos impresionantes en los techos nos hacen creer que el edificio se prolonga hacia el cielo. Un tema muy popular en la pintura de trampantojos son las ventanas y las puertas pintadas con vistas a un cielo azul o a un paisaje verde, así como huecos en paredes, fachadas y techos. Nos crean la ilusión de estar mirando al exterior, a la naturaleza.

Lo que empezó con el arte del trampantojo en la época clásica, continúa hoy en día, renovado y sorprendentemente ampliado sobre todo por las posibilidades de composición electrónicas. Los siguientes capítulos recorren ese mundo tan fascinante y variado de las ilusiones ópticas.

Detalle del techo de la Villa Barbaro (siglo XVI), en Maser, Italia. En la parte superior, una ventana parece ofrecer vistas al cielo azul.

Pintura ilusoria moderna en una fachada de Nueva York. La pintura nos causa la impresión de estar viendo el Puente de Brooklyn a través de la gran entrada de la casa.

GREEN LABEL
GREEN LABEL
AGED 15

DISTORSIONES

Hay ilusiones ópticas que sólo alteran nuestra capacidad de percepción la primera vez que las observamos. Una vez descifrado el secreto de la imagen, no permitimos que nos vuelva a engañar. Un ejemplo serían las representaciones ambiguas y los acertijos que veremos más adelante. No obstante, la mayoría de las ilusiones ópticas nos llevan a cometer el mismo error una y otra vez. Aunque sepamos que se trata de un engaño, a menudo somos incapaces de corregir esa percepción errónea. Son muchas las figuras geométricas que nos hacen ver algo que no corresponde a la realidad: calculamos mal las líneas, vemos curvaturas donde no las hay o percibimos objetos de dos dimensiones como si fueran tridimensionales. En estos casos, se trata de distorsiones que unas veces afectan a la longitud o al tamaño, y otras veces a la figura completa.

¿Una cascada en medio de la ciudad? A un conocido fabricante de whisky se le ocurrió una curiosa idea para hacer publicidad de su producto: esta imagen, que parece tridimensional debido a su fuerte distorsión, fue creada por los artistas urbanos Manfred Stader y Edgar Müller en una galería comercial de Taiwán.

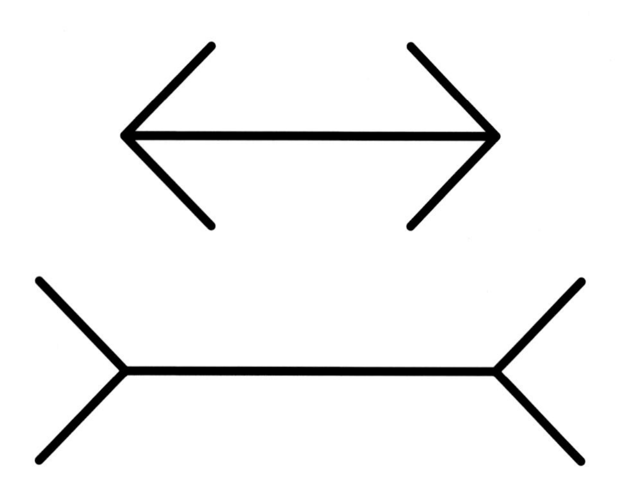

¿Qué línea horizontal es más larga?

La pregunta parece tener rápida respuesta, que la línea inferior es claramente más larga que la superior. Pero ¡cuidado! Nuestra percepción nos está jugando una mala pasada. Los ángulos son los causantes del engaño: si se abren hacia dentro, la raya parece más corta. En cambio, una línea entre ángulos que se abren hacia fuera nos parece más larga. Esta ilusión óptica es una de las distorsiones de longitud más conocidas. Fue desarrollada a finales del siglo XIX por Franz Müller-Lyer, quien también le dio su nombre.

¿Qué segmento es más largo: A–B o B–C?

En ambas figuras, la distancia A-B es equivalente a la distancia B-C. Estas variaciones de la ilusión Müller-Lyer demuestran que también calculamos mal las distancias cuando los ángulos se superponen sobre una línea o las puntas de las flechas aparecen como triángulos coloreados.

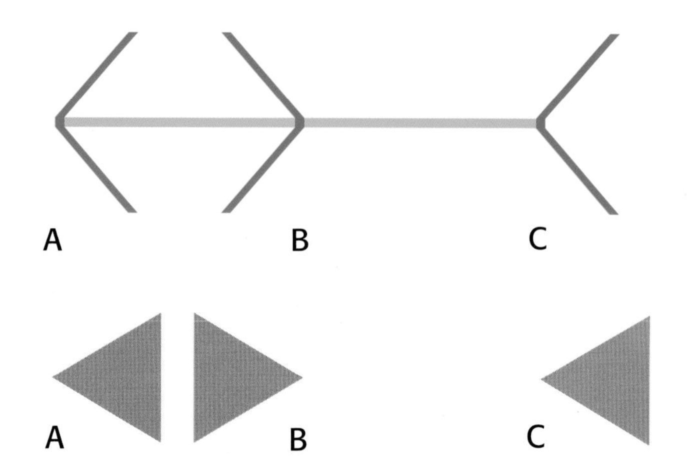

¿Está el punto rojo justo en el centro de la línea o ligeramente a la izquierda?

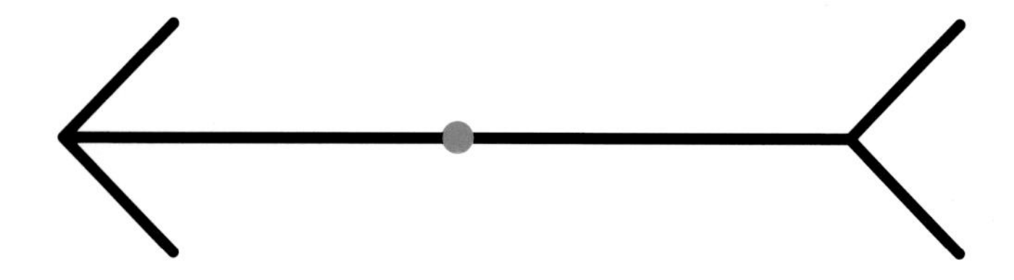

Aunque la impresión sea otra, el punto rojo corta la línea en dos mitades exactas. En un estudio, se pidió a algunas personas que señalaran el centro del segmento y todas, prácticamente sin excepción, lo marcaron mucho más a la derecha, con una desviación de entre un 20 y un 30 por ciento.

¿Qué línea horizontal es más corta?

Tanto los observadores expertos como los inexpertos consideran que el segmento de la izquierda es más corto que el de la derecha. Sin embargo, en realidad ambos tienen la misma longitud. Esta imagen demuestra claramente que no percibimos los objetos (en este caso, las líneas horizontales) aislados de su entorno. Así como en la figura de la izquierda los círculos causan un aparente acortamiento de la línea roja, en la figura de la derecha los círculos provocan un alargamiento de la línea.

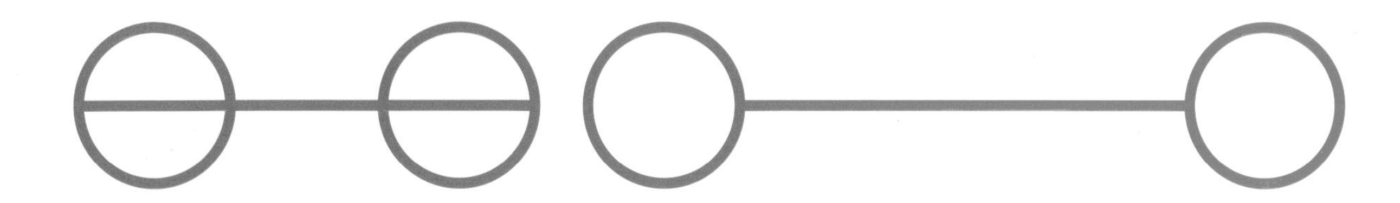

Observa las dos líneas rojas.
¿Cuánto supera en altura la línea posterior a la anterior?

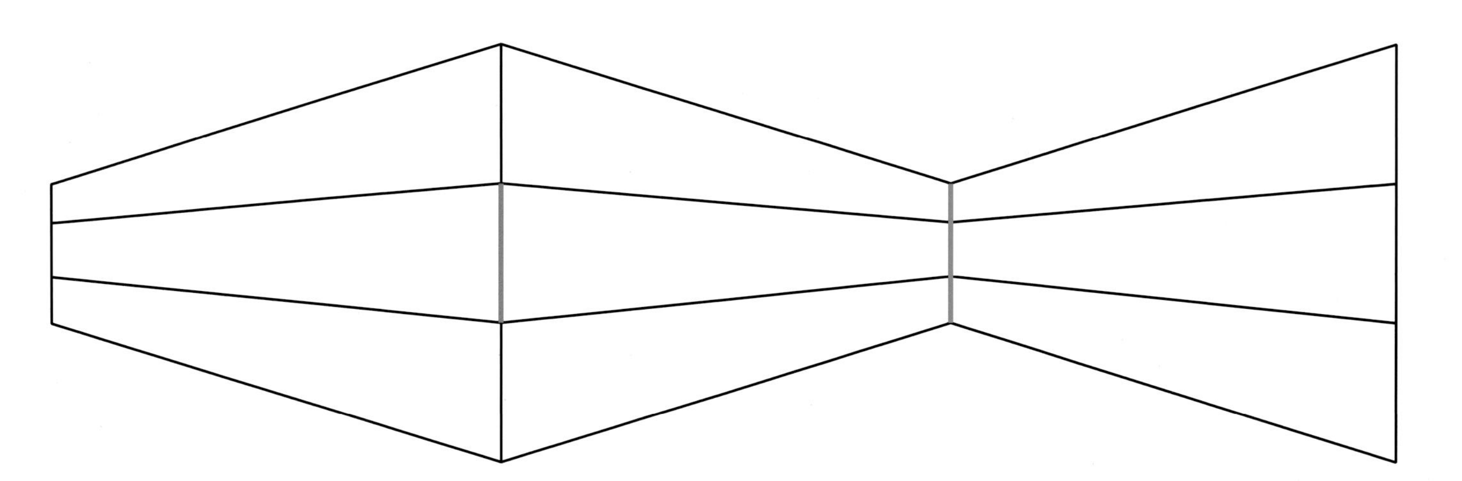

Ciertamente, habría que medirlas con una regla para convencerse de que la línea posterior tiene la misma longitud que la anterior. Esta ilustración plantea una variante de la ilusión de Müller-Lyer, puesto que percibimos vértices de ángulos que se abren hacia dentro (línea anterior) y vértices de ángulos que se abren hacia fuera (línea posterior). Estamos sujetos a una apreciación errónea de la perspectiva que no podemos evitar.

¿Cuál de las dos líneas amarillas es más larga?

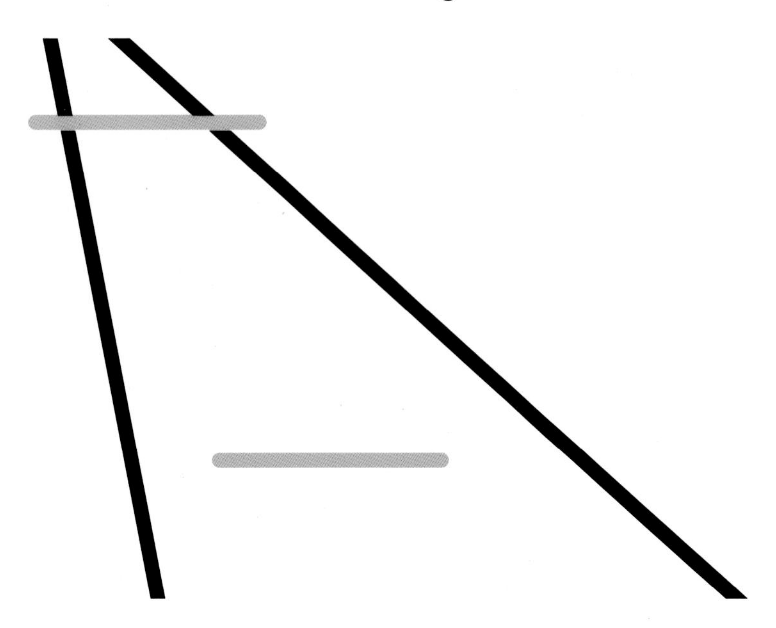

La desconcertante respuesta es que ambas líneas son igual de largas. Entonces, ¿por qué creemos que la línea posterior es más larga? En esta ilusión óptica, creada por el psicólogo italiano Mario Ponzo, de quien toma su nombre, las dos líneas convergentes crean una representación en perspectiva. En las imágenes en perspectiva, creemos que los objetos situados en primer plano están cerca y que los objetos situados más al fondo están lejos. Y lo hacemos porque, por experiencia, sabemos que la imagen de un objeto disminuye de tamaño a medida que aumenta la distancia. Si invertimos el argumento, en este ejemplo significará que una línea aparentemente más lejana, pero que genera una imagen de la misma magnitud que la línea situada en primer plano, parece más larga.

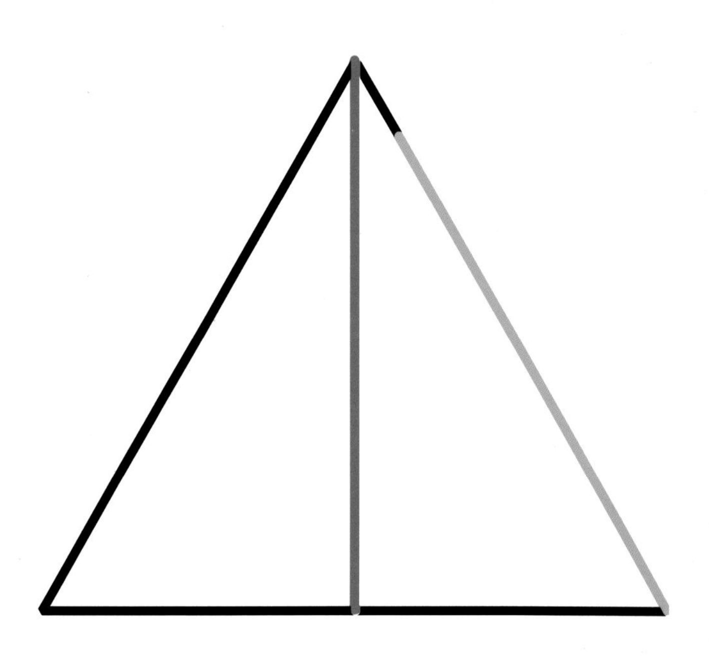

¿Qué línea es más corta, la roja o la amarilla?

Según numerosas investigaciones, el ser humano suele sobredimensionar las líneas verticales entre un 20 y un 30 por ciento. Así pues, aunque sepamos que los lados de un triángulo son más largos que la altura (la línea roja), la línea amarilla nos parece más corta en esta figura. Sin embargo, si las medimos, comprobaremos que la línea roja y la amarilla tienen exactamente la misma longitud.

En estas dos figuras, ¿son las líneas rojas de igual longitud?

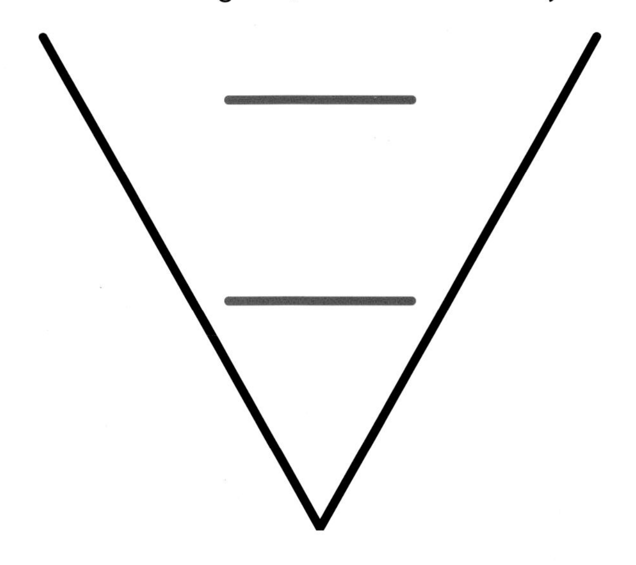

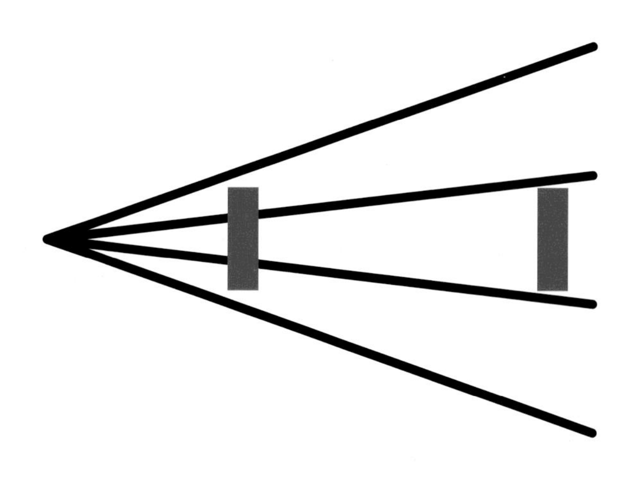

En estas dos variantes de la ilusión de Ponzo, también consideramos que las líneas más cercanas al punto de fuga –en ambos casos los vértices de las líneas convergentes– son más largas, puesto que las percibimos como más lejanas. Si las medimos, comprobaremos sorprendidos que la longitud de las líneas rojas o de los palos coincide.

¿Qué figura es más grande?

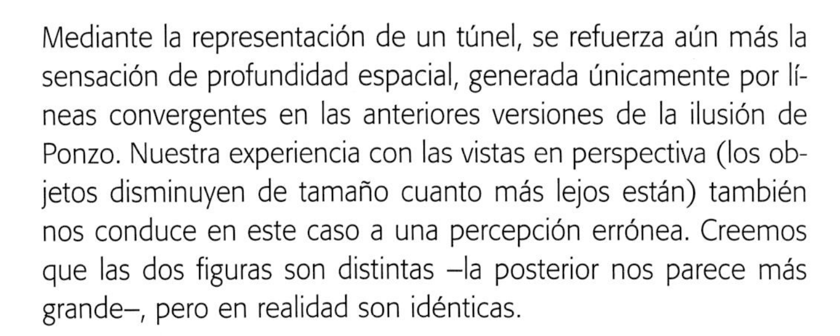

Mediante la representación de un túnel, se refuerza aún más la sensación de profundidad espacial, generada únicamente por líneas convergentes en las anteriores versiones de la ilusión de Ponzo. Nuestra experiencia con las vistas en perspectiva (los objetos disminuyen de tamaño cuanto más lejos están) también nos conduce en este caso a una percepción errónea. Creemos que las dos figuras son distintas –la posterior nos parece más grande–, pero en realidad son idénticas.

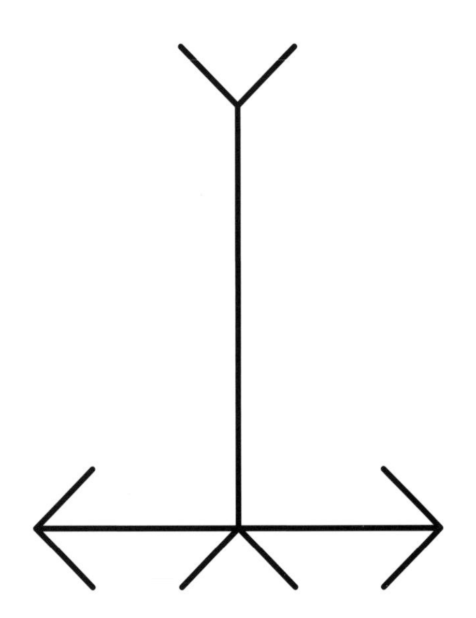

¿Qué línea es más larga, la vertical o la horizontal?

¿Se ha decidido por la vertical? No es el único. La mayoría de las personas considera que es más larga, aunque en realidad ambas líneas tienen la misma longitud. Sobredimensionar la altura es una particularidad humana típica que, en este caso, se ve reforzada por los correspondientes vértices de los ángulos (v. página 14, ilusión de Müller-Lyer).

¿Cuál de estas figuras es un cuadrado?

A

B

La gran mayoría opta por responder que la figura A es un cuadrado. Sin embargo, la respuesta correcta es la B: una prueba contundente de que tendemos a sobredimensionar las líneas verticales.

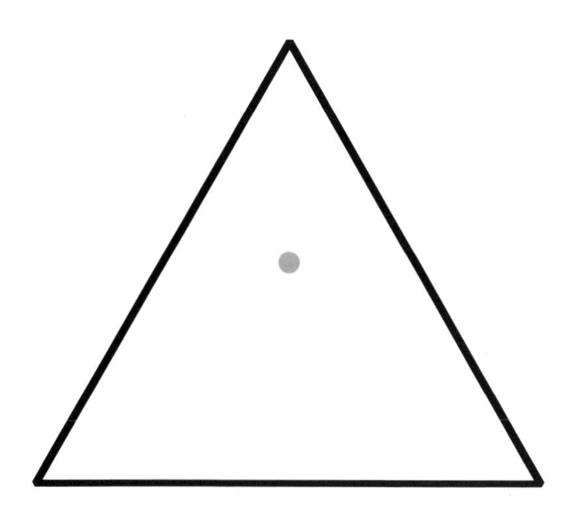

¿Está situado el punto en la mitad superior del triángulo o en el centro?

En este ejemplo también sobredimensionamos la altura. Creemos que el punto está por encima del centro. Sin embargo, el punto corta la altura del triángulo en dos mitades exactas. Este efecto se ve reforzado por otra circunstancia: la superficie que queda por debajo del punto es claramente más grande que la superficie de arriba. Y nuestro cerebro interpreta que, a mayor superficie, mayor altura.

¿Qué línea es más larga, el lado superior del trapecio A o el lado superior del trapecio B?

Dos factores son los responsables de que creamos que el lado superior del trapecio A es más largo. Las líneas laterales cortan el lado superior formando un ángulo obtuso (mayor de 90°), en tanto que las líneas laterales del trapecio B forman en la parte superior un ángulo agudo (menor de 90°). Esta figura recuerda la ilusión de Müller-Lyer, en la que un ángulo que se abre hacia dentro causa un acortamiento del segmento y, en cambio, un ángulo que se abre hacia fuera provoca un alargamiento aparente del segmento. Además, las superficies de distinto tamaño nos llevan a percibir distintas longitudes. Los lados superiores son igual de largos.

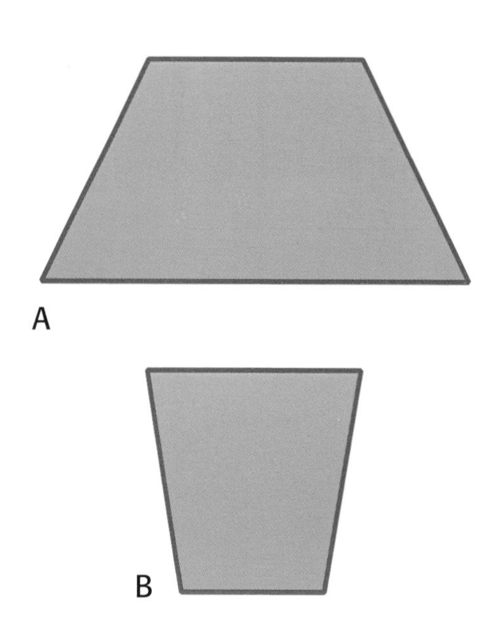

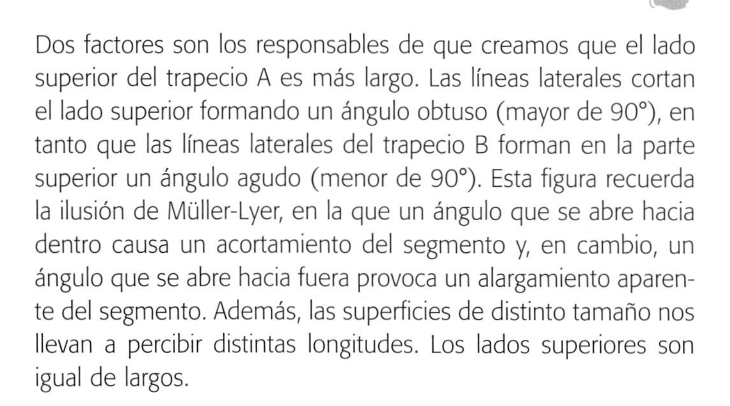

¿Cuál de las dos líneas rojas es más larga?

Tal como nos muestra el paralelogramo de Sander, percibimos los objetos en relación con su entorno y, por lo tanto, estamos sujetos a engaño respecto a las longitudes. Las líneas rojas tienen la misma longitud, pero no lo parece debido a que las superficies del fondo son de distinto tamaño. Nuestro cerebro interpreta la figura de este modo: cuanto más pequeño es un objeto en su totalidad, más pequeñas son también sus partes. Una conclusión errónea, tal como demuestra este ejemplo.

¿Qué medida del Arco Gateway es mayor, la altura o la anchura?

El Arco Gateway, obra de Eero Saarinen, ubicado en la ciudad estadounidense de Saint Louis, constituye un monumento emblemático inconfundible y muy popular, así como un ejemplo claro e imponente de ilusión óptica. La altura de este arco de acero y la anchura de la base miden exactamente 192,15 metros. Sin embargo, en este caso también tendemos a sobredimensionar la altura: un error de percepción habitual. Los investigadores parten de la hipótesis de que podemos calcular con más precisión las dimensiones horizontales porque nuestros ojos se encuentran en línea horizontal y, por lo tanto, el movimiento lateral resulta más fácil. En cambio, el movimiento de los ojos en dirección vertical exige mucho esfuerzo de los músculos oculares, una circunstancia que a menudo provoca que sobredimensionemos la altura

¿Qué piedras del Partenón son rectangulares?

Poquísimas, puesto que los arquitectos de la época clásica conocían las propiedades de la percepción humana que provocan que una construcción nos parezca estática o dinámica, y las tenían en cuenta a la hora de proyectar grandes edificios. El Partenón de Atenas, construido hace 2.500 años, da muestra de los esfuerzos de los arquitectos por transmitir al observador la máxima armonía posible. Para ello, hacía falta recurrir a complejas pautas arquitectónicas. Los elementos arquitectónicos horizontales del Partenón presentan una curvatura de muy pocos centímetros, inapreciable a simple vista, pero que logra suprimir la rigidez de las líneas horizontales. Los elementos verticales, en cambio, se inclinan hacia el interior, y las columnas presentan éntasis.

¿Qué ve en esta imagen? ¿Una reja con los barrotes torcidos?

No importa qué interpretación hagamos de las líneas verticales: lo sorprendente es que no hay ni una sola curvatura. Es evidente que las zonas discontinuas de color provocan un estímulo visual que nuestro cerebro interpreta erróneamente y que nos induce a creer que los «barrotes» están torcidos. Esta ilusión no se crearía si las líneas se dibujasen con un sólo color.

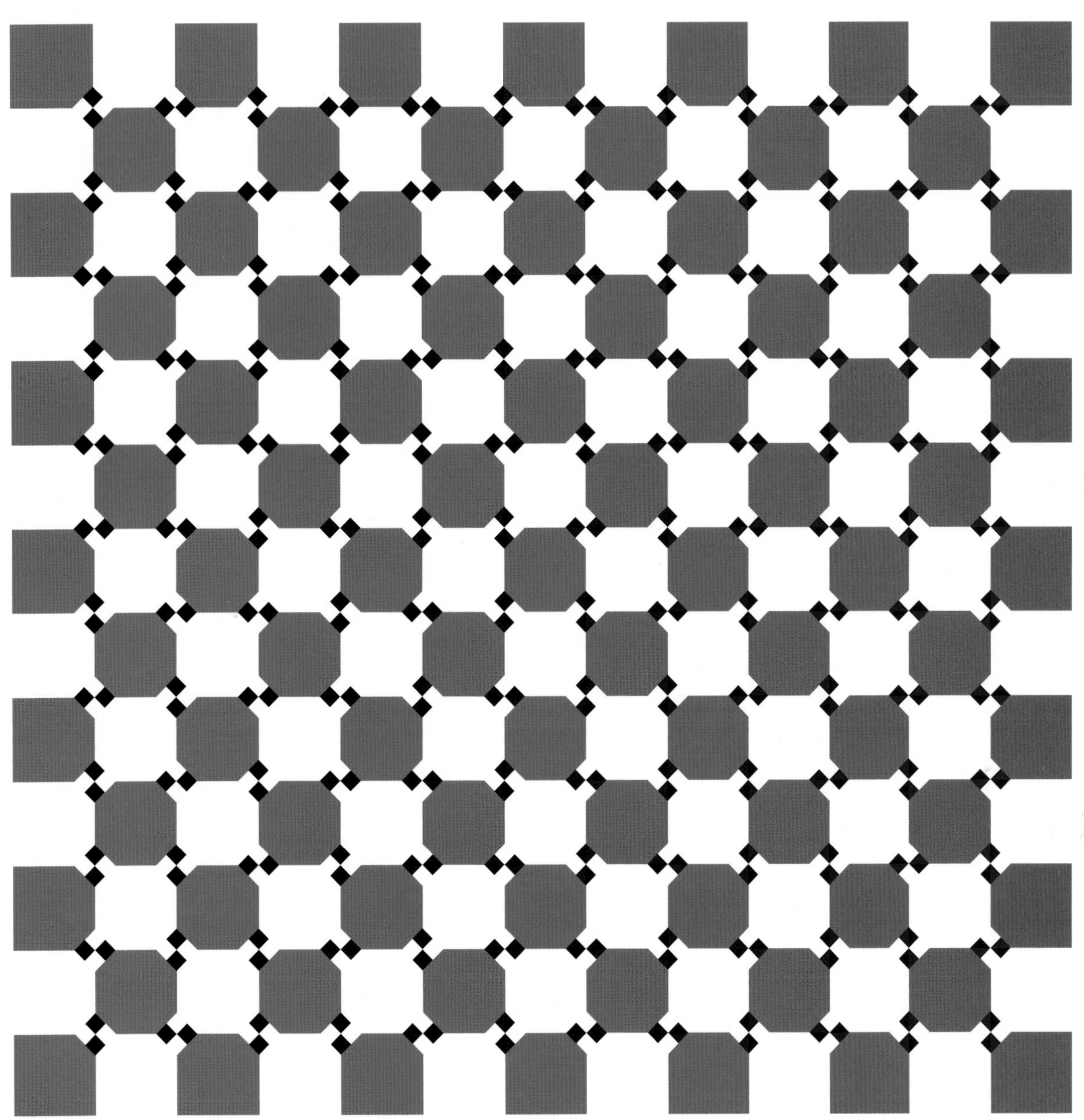

Boli of Bugs © Akiyoshi Kitaoka

¿Están dispuestas en paralelo las casillas de este tablero?

¿No? Y ¿no será que las casillas se curvan y por eso parecen dispuestas de forma irregular? Con la ayuda de una regla, convénzase, de que tanto las líneas horizontales como las verticales son rectas y paralelas. Los cuadraditos negros y blancos, ubicados entre las casillas verdes y blancas siguiendo un método especial, nos llevan a percibir aparentes curvaturas.

¿En qué ángulo se inclinan las líneas rojas?

Las líneas rojas son totalmente verticales y paralelas. No obstante, las líneas azules y verdes oblicuas y trazadas de manera alterna nos llevan a pensar que las líneas verticales tienden a unirse o a separarse en mayor o menor medida. Esta versión de una ilusión que afecta al paralelismo fue presentada en la década de 1960 por el astrofísico alemán Johann Kart Friedrich Zöllner y lleva su nombre.

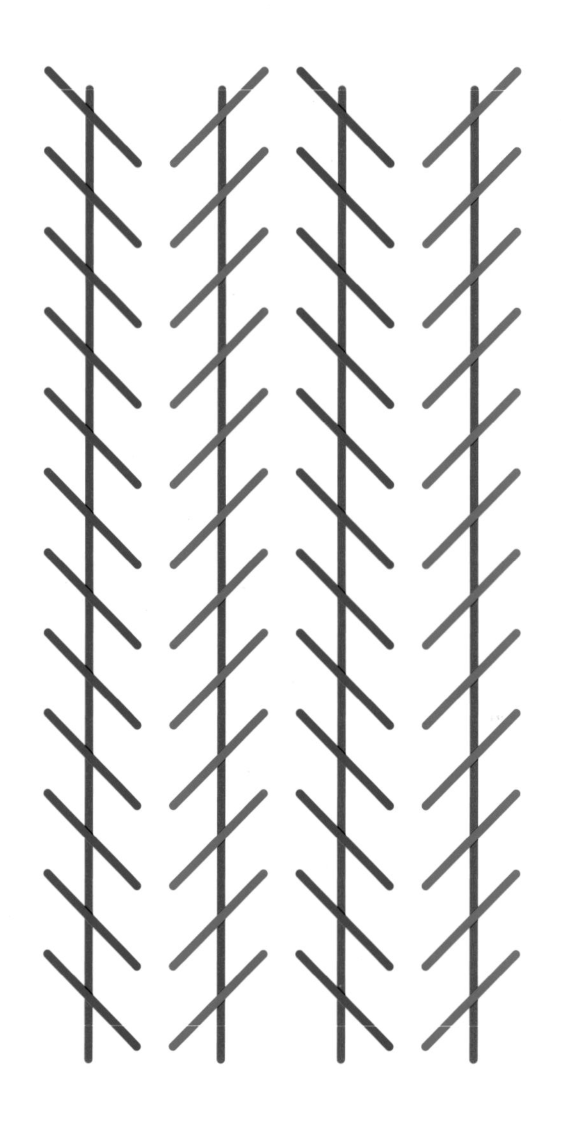

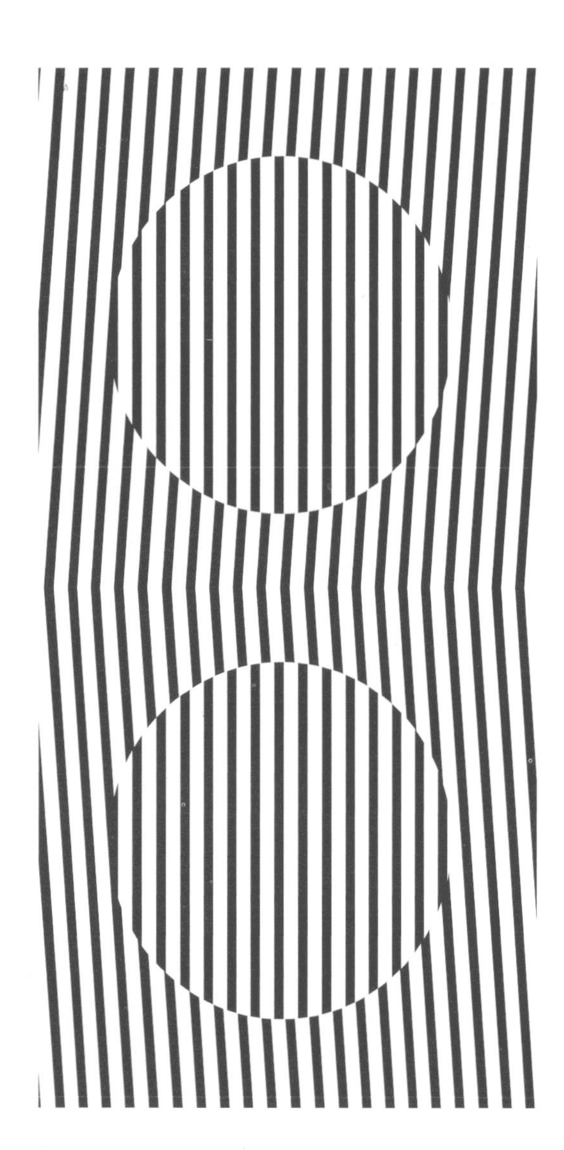

¿Hacia dónde se inclinan las líneas ubicadas dentro de los círculos?

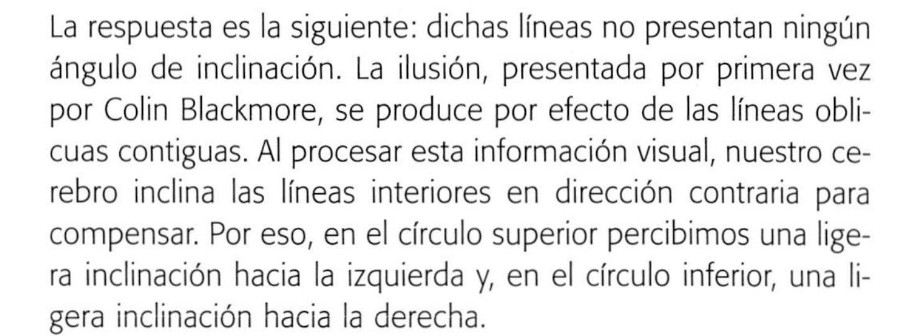

La respuesta es la siguiente: dichas líneas no presentan ningún ángulo de inclinación. La ilusión, presentada por primera vez por Colin Blackmore, se produce por efecto de las líneas oblicuas contiguas. Al procesar esta información visual, nuestro cerebro inclina las líneas interiores en dirección contraria para compensar. Por eso, en el círculo superior percibimos una ligera inclinación hacia la izquierda y, en el círculo inferior, una ligera inclinación hacia la derecha.

¿Dónde presentan mayor curvatura las líneas rojas?

Las líneas rojas no son curvas, son totalmente paralelas. Ewald Hering desarrolló esta ilusión de paralelismo, que lleva su nombre, en 1961 y comprobó que el cerebro humano percibe líneas rectas como curvas si se dibuja un haz de rectas en el fondo, cuyo punto de intersección se sitúa exactamente en una posición equidistante entre dos paralelas. La supuesta curvatura de las líneas rojas nos parece más marcada alrededor del núcleo de los haces.

¿Qué forma tienen las áreas de color? ¿Cómo transcurren las líneas?

¿Percibe también, como la mayoría de las personas, áreas cuneiformes, aunque en realidad sean totalmente paralelas? A esta ilusión se la conoce como la ilusión del *Cafewall*. La fotografía pequeña muestra la procedencia del nombre: en una cafetería de la ciudad inglesa de Bristol, se revistió la fachada con baldosas blancas y negras de tal manera que se creó, involuntariamente, una ilusión óptica. Este ejemplo se incluye en el ámbito de las ilusiones de paralelismo.

¿Qué cuadrado es mayor?

¿Cree que el cuadrado superior es claramente mayor? En ese caso se ha dejado influir por la altura de la figura correspondiente. En esta imagen, la figura superior es más alta, una circunstancia que nuestro cerebro interpreta automáticamente como equivalente de mayor superficie. Sin embargo, los lados de ambos cuadrados son iguales. La ilusión desaparece si giramos la imagen unos 45 grados.

¿Cuál de estos arcos de círculo presenta mayor curvatura?

Es sorprendente: interpretamos que el arco inferior presenta una curvatura moderada y percibimos el arco superior como si fuera un segmento muy arqueado de un círculo. Sin embargo, si tapamos los extremos laterales de los arcos superior y central y, de esta manera, les damos la misma longitud a todos, reconoceremos que los tres presentan la misma curvatura. Este ejemplo demuestra que nuestra apreciación de un arco está claramente influida por la extensión del fragmento de curva que abarcamos con la vista.

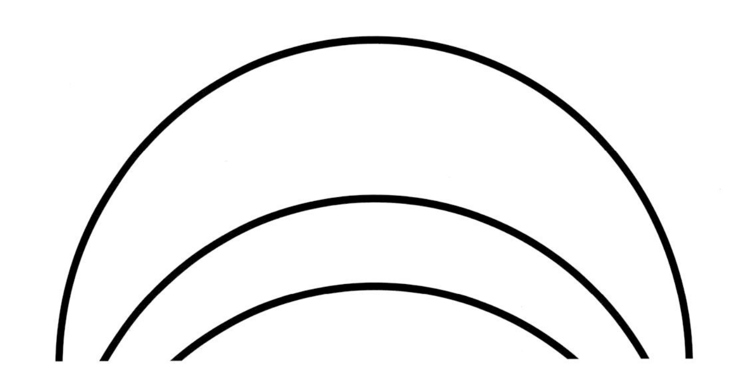

¿Cuál de estos cuadrados parece más grande y cuál más opaco?

Esta ilustración demuestra la influencia de los colores en la percepción. Los colores oscuros causan más sensación de opacidad que los colores claros. En cambio, ocurre al revés a la hora de calcular el tamaño: los objetos claros sobre un fondo oscuro nos parecen más grandes que los objetos oscuros sobre un fondo claro. La causa es, probablemente, que las superficies claras se difunden más allá de sus límites reales: una ilusión óptica conocida como irradiación.

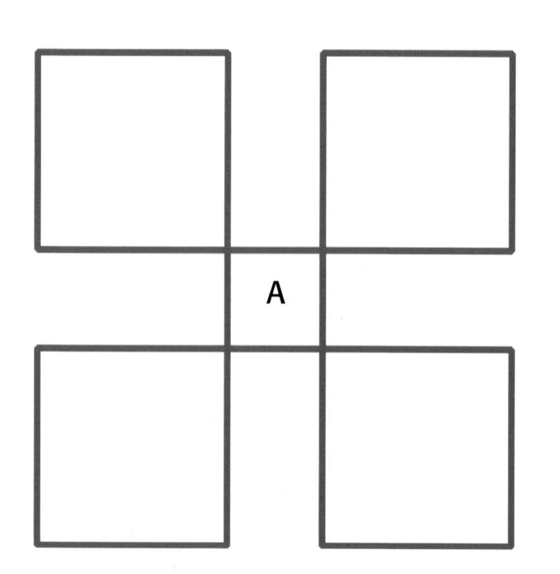

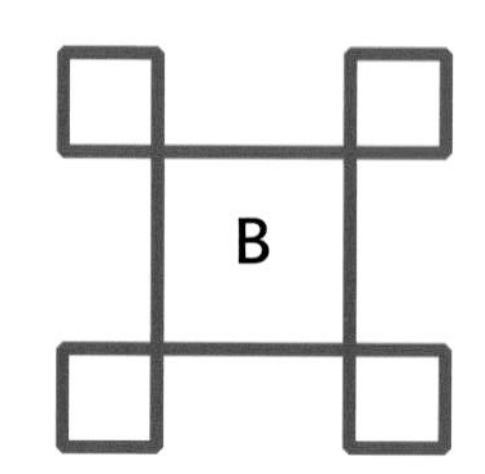

¿Qué cuadrado es mayor, el A o el B?

¿Cree que el cuadrado interior (B) de la figura de la derecha es más grande? En tal caso, como la mayoría de la gente, se ha dejado influir en su percepción por los pequeños cuadrados adyacentes que provocan que el central parezca mayor de lo que es. En realidad, los cuadrados A y B tienen el mismo tamaño.

¿Ve un hexágono distorsionado?

Si pudiéramos quitar los seis triángulos de la imagen, descubriríamos un hexágono perfecto. Siempre puede valerse de dos reglas o dos lápices y seguir las líneas para convencerse. La causa de la aparente distorsión es que prolongamos mentalmente las líneas que inciden en la mitad del lado del triángulo hasta el centro del mismo.

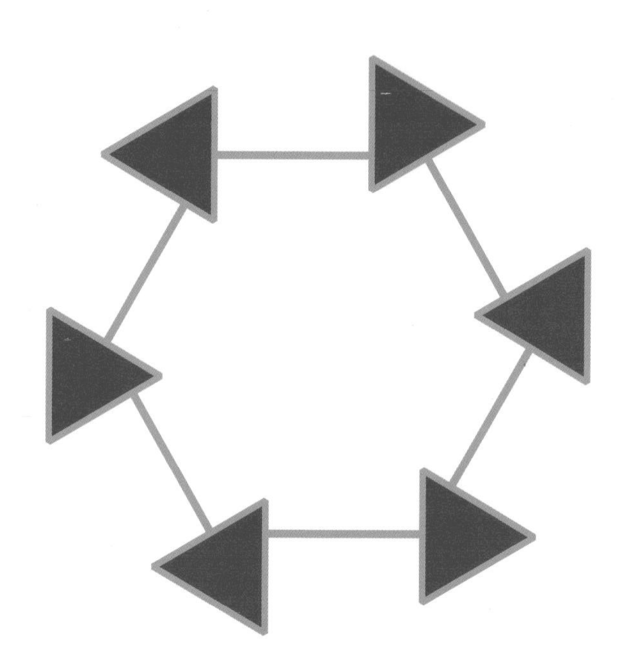

¿Cuál de los círculos interiores de color naranja es mayor?

La mayoría de la gente sobredimensiona el círculo de la derecha y considera que es más grande que el de la izquierda. Si los medimos con una regla, comprobaremos que ambos círculos tienen el mismo diámetro. Este ejemplo demuestra que calculamos el tamaño de los objetos en relación a lo que les rodea. Por eso, cuanto más pequeño es el entorno, más grande parece el área interior.

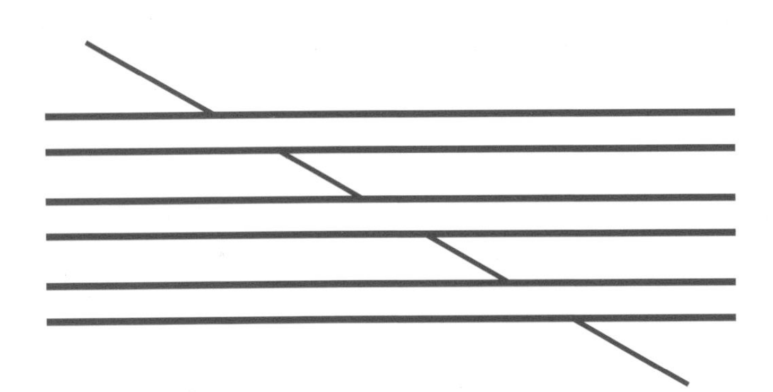

¿Es la diagonal una línea recta o se desplaza?

Aunque la impresión sea otra, la diagonal es recta. Esta ilusión óptica fue desarrollada en 1860 por el físico alemán Johann Christian Poggendorf, de quien toma su nombre. A pesar de lo impactante de la ilusión y de lo mucho que se ha investigado, aún no se ha podido aclarar la causa de esa ilusión. Algunos sostienen que se debe a la particularidad del ser humano de percibir los ángulos agudos más grandes de lo que son y los ángulos obtusos más pequeños. Esto nos llevaría a calcular mal los ángulos que forman las diagonales y, por lo tanto, a percibir un desplazamiento de la línea.

¿Se cierra el círculo?

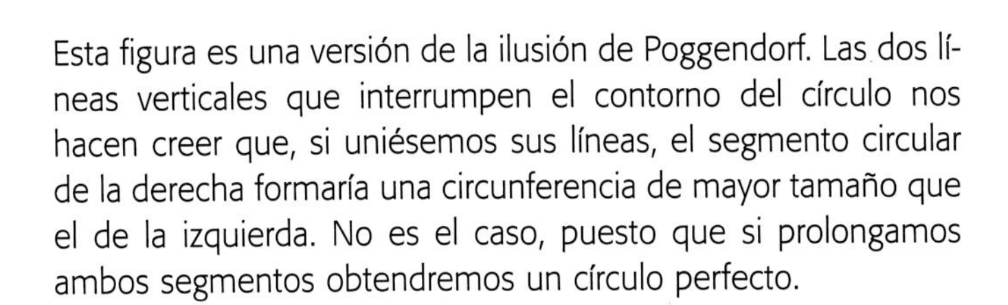

Esta figura es una versión de la ilusión de Poggendorf. Las dos líneas verticales que interrumpen el contorno del círculo nos hacen creer que, si uniésemos sus líneas, el segmento circular de la derecha formaría una circunferencia de mayor tamaño que el de la izquierda. No es el caso, puesto que si prolongamos ambos segmentos obtendremos un círculo perfecto.

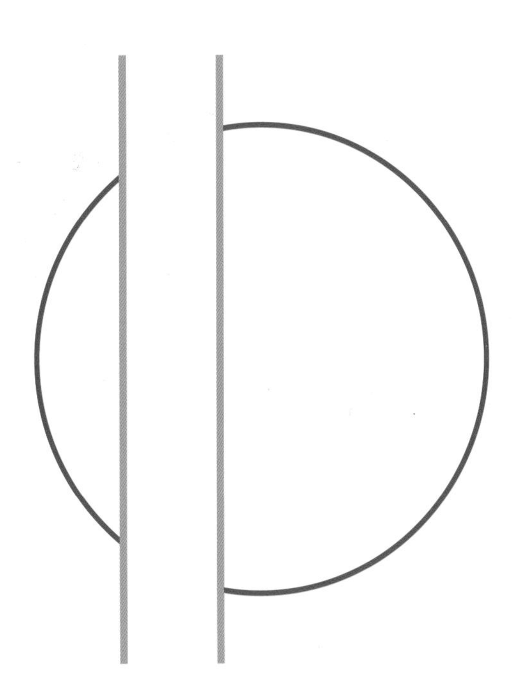

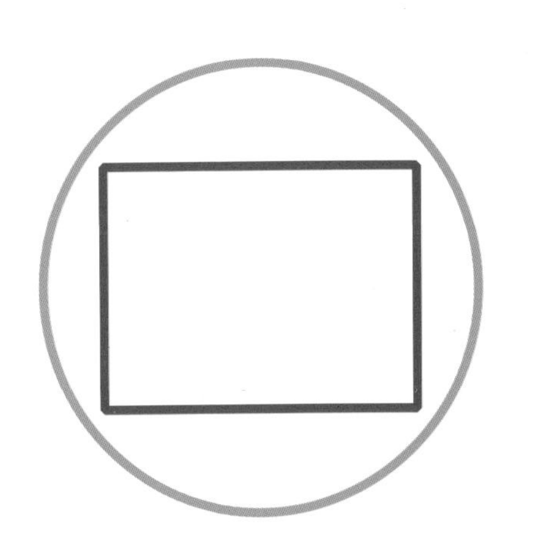

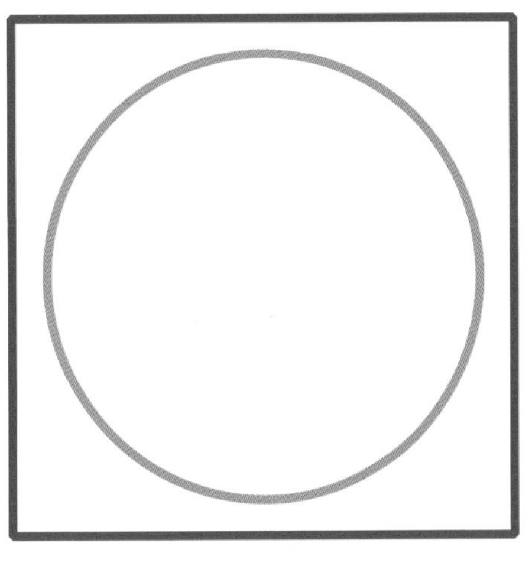

¿Qué círculo es menor?

Mucha gente supone que el círculo de la izquierda es menor. Una ilusión, puesto que los círculos son exactamente iguales. Mientras que el cuadrado que encierra el círculo de la derecha provoca un agrandamiento aparente de la superficie del círculo, en el caso del cuadrado interior ocurre lo contrario.

¿Un automóvil gigante o personas enanas?

¿Siente cierta confusión? ¿Es incapaz de juzgar si el coche es extraordinariamente grande o si las dos personas del fondo son extremadamente pequeñas? Entonces, este anuncio de coches ha conseguido su objetivo, puesto que este automóvil no existe en la realidad: ni carrocería, ni llantas, ni faros, ni neumáticos. Lo que ve aquí es un fascinante ejemplo de anamorfosis. Mediante una distorsión extrema, los artistas Edgar Müller, Manfred Stader y Gregor Wosik crearon como por arte de magia un objeto aparentemente tridimensional en el pavimento. No obstante, esta percepción depende del ángulo de observación: si se mira desde el lateral, la ilusión óptica pierde todo su efecto.

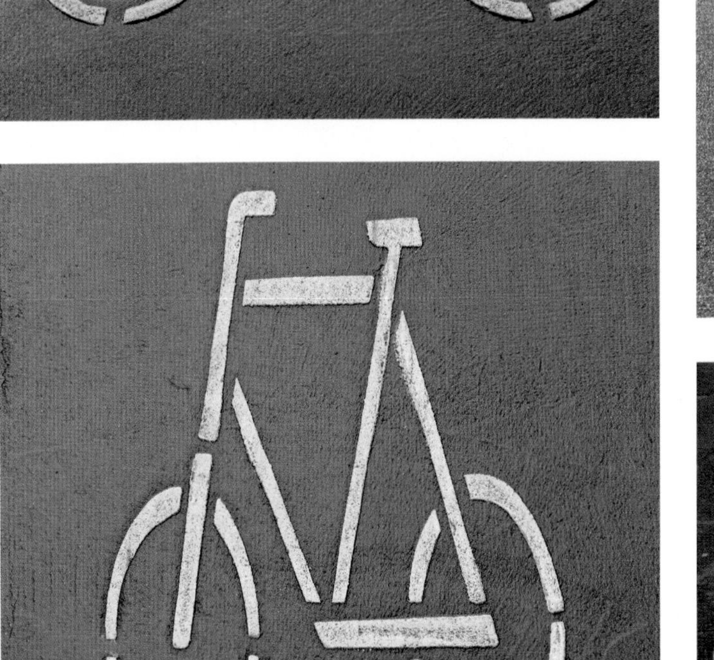

¿Por qué las marcas viales son alargadas?

Si miramos desde arriba las marcas viales o las señales de tráfico horizontales, como el dibujo de una bicicleta en un carril bici o la señal de stop sobre la calzada, observaremos formas muy alargadas. Sin embargo, si nos acercamos a ese tipo de señales mientras circulamos, nos parecerá que tienen proporciones normales. Estas representaciones anamórficas simples, pero sumamente efectivas y útiles, están adaptadas al ángulo de visión habitual de quienes circulan, ya que normalmente nadie las mira desde lo alto. Este tipo de representación también se utiliza para señalar límites de velocidad y flechas de dirección en la calzada.

Hans Holbein, de Joven, *Los embajadores*, (1533), National Gallery, Londres

¿Ve algo insólito en esta pintura?

¿No? En ese caso cambie el ángulo de observación: ladee la cabeza y fíjese en la parte inferior de la pintura desde el extremo izquierdo inferior del cuadro. Es probable que nos cueste algo de tiempo encontrar el ángulo de visión correcto para dar con el misterio de esta pintura. Sin embargo, cuando lo conseguimos, descubrimos algo insólito: ¡una calavera! Este retrato de los embajadores Jean de Dinteville y Georges de Selve es la anamorfosis más antigua y más conocida. Fue pintado en el año 1533 por el artista renacentista Hans Holbein el Joven y actualmente puede admirarse en la National Gallery de Londres.

¿Qué hay realmente en esta calle?

De todo, menos mariposas, zanjas o grietas en el asfalto. Esta obra de arte se realizó en el marco del Prairie Arts Festival de Canadá, en el que algunos prometedores y prestigiosos artistas de pintura urbana, demostraron su talento. La enorme mariposa que aletea por encima del abismo fue pintada por Edgar Müller, una de las figuras más famosas del mundo en este tipo de arte. Las medidas de la pintura sobre el asfalto eran de 7 x 12 metros. Las representaciones anamórficas en las calles se realizan cada vez más con fines publicitarios. Por eso no es de extrañar que el arte de la pintura urbana esté adquiriendo un nuevo significado.

¿Qué lado de la figura roja es más largo?

¡Todos los lados son iguales! El denso haz de radios que incide en el lado derecho provoca la sensación de que los lados tienen distinta longitud. En ese lado del cuadrado inciden casi el doble de rayas azules que en los demás, por eso parece más largo. Esta ilusión fue descrita en el año 1939 por el psicólogo William Orbison, de quien toma su nombre.

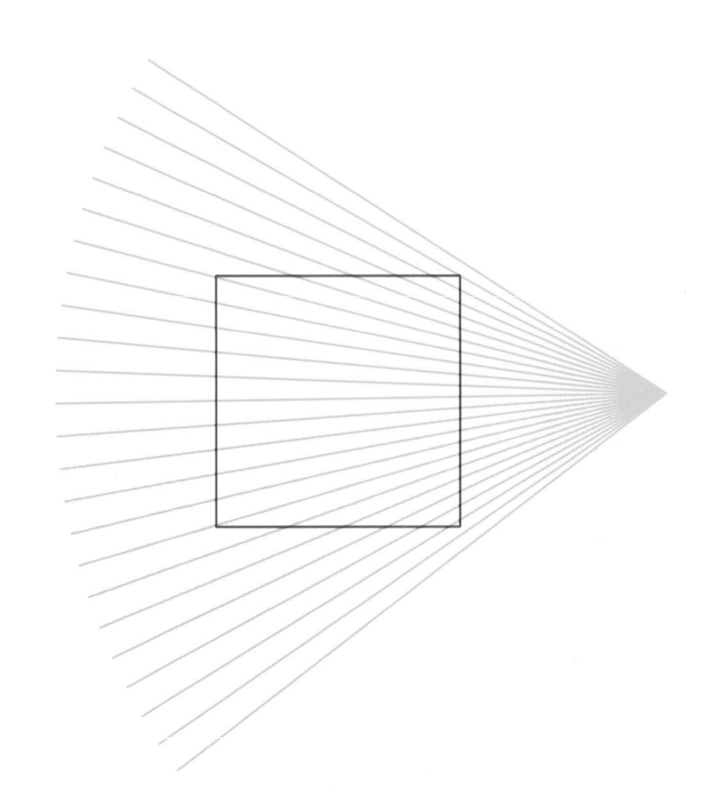

¿Qué lados de los cuadrados se arquean?

Aunque nuestra percepción nos haga creer otra cosa, ninguno de los cuadrados presenta una curvatura. En la figura de la derecha, las cuatro líneas horizontales parecen arqueadas. Las líneas del fondo cortan las líneas de los cuadrados formando un ángulo agudo y crean la ilusión óptica. El cuadrado de la izquierda, en cambio, parece arquearse por los cuatro lados. Los círculos del fondo provocan esta ilusión.

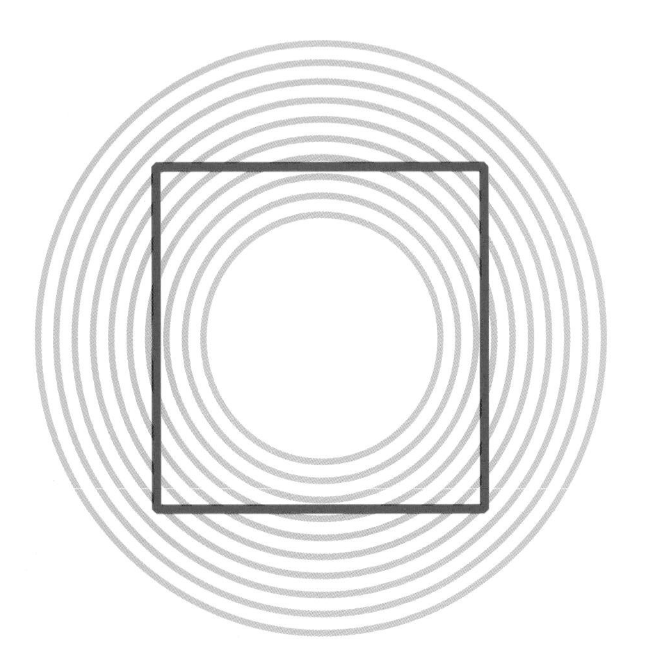

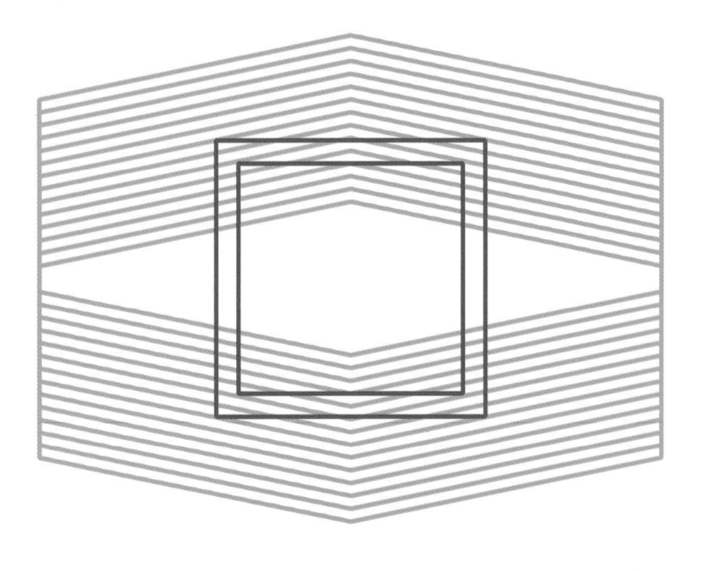

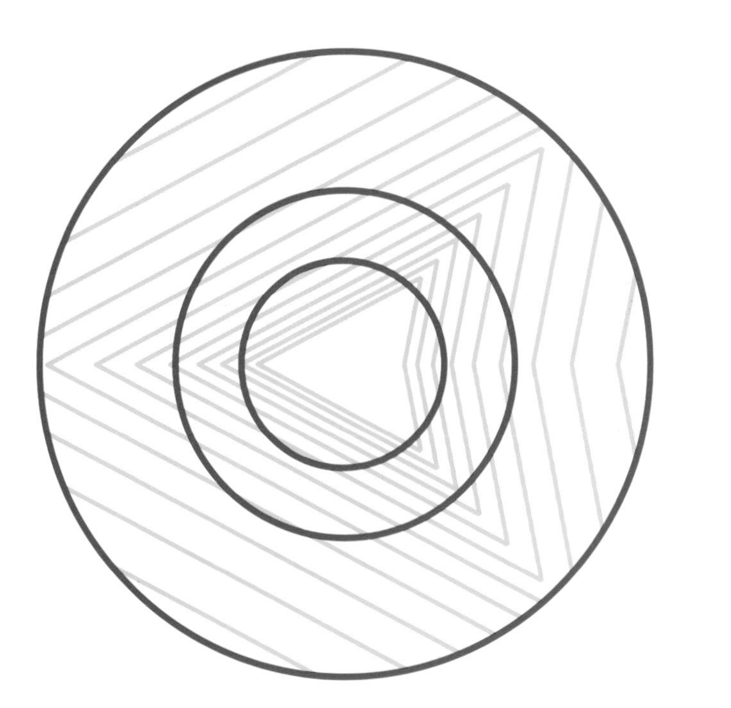

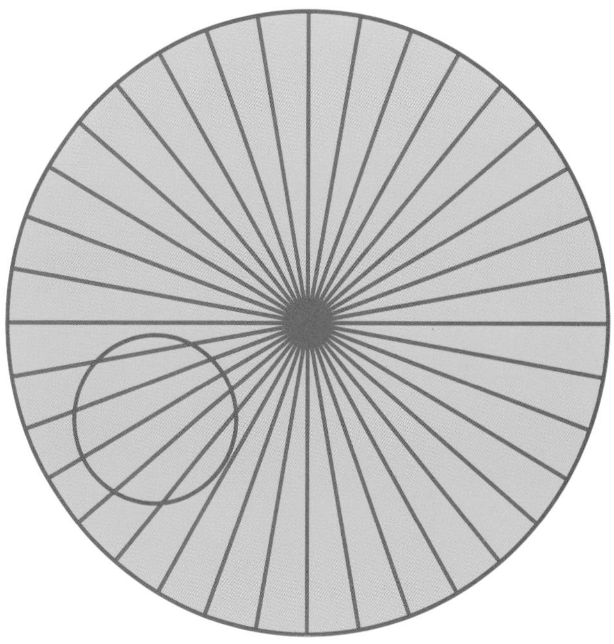

¿Cuál de estos círculos está más distorsionado?

Ambas figuras geométricas demuestran que, sobre un fondo de líneas dispuestas de determinada manera y con ángulos distintos, no sólo percibimos distorsionados los cuadrados, sino también los círculos. Pero no se deje engañar: en todos los casos se trata de círculos perfectos.

¿Qué líneas de esta sinusoide son más largas?

La mayoría de la gente cree apreciar que las líneas situadas en el ascenso de la sinusoide. Asimismo, se considera que las líneas se alargan en la curva y alcanzan su valor máximo en el punto más alto y en el más bajo de la curva. Ambas apreciaciones son erróneas, ya que todas las líneas verticales tienen la misma longitud.

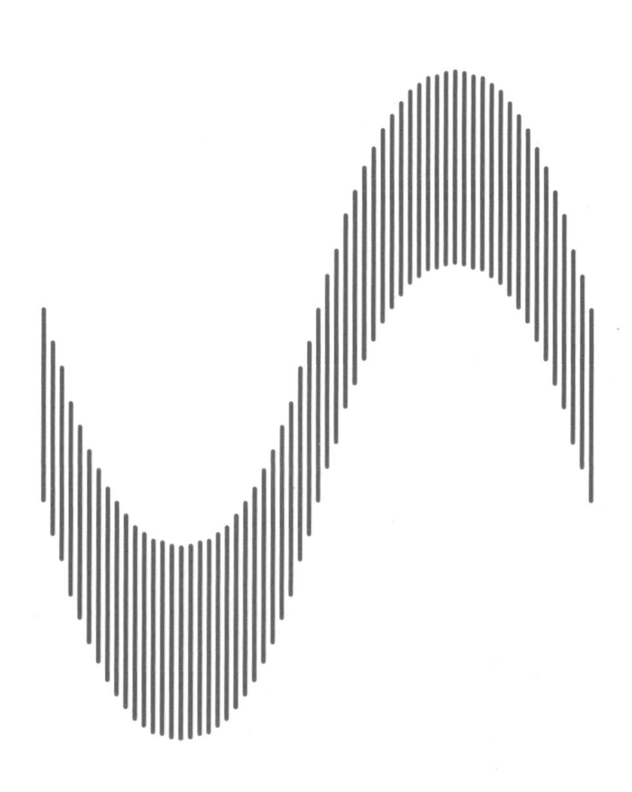

ILUSIONES DE MOVIMIENTO

¡Cuidado con las siguientes imágenes! Nuestra percepción se verá sometida a una dura prueba ante círculos que rotan o una locomotora de vapor en marcha. La magia no interviene, es sólo nuestro cerebro el que pone las imágenes en movimiento. Las responsables, son principalmente dos características de la percepción. En primer lugar, tal como ocurre en el cine, la lentitud del ojo humano es responsable de algunas ilusiones de movimiento en las figuras que veremos a continuación. Las imágenes repercuten en la retina entre 0,06 y 0,1 segundos. A partir de una frecuencia de aproximadamente 18 imágenes por segundo, las distintas imágenes se fusionan y las percibimos en movimiento. Otra causa de movimiento aparente son los contrastes de color y de luz, ya que la dirección del movimiento viene determinada por la gradación del brillo (de blanco a negro). De este modo se generan fascinantes imágenes en movimiento.

Rotsnake *es una de las fascinantes obras de Akiyoshi Kitaoka, profesor de Psicología en la universidad japonesa de Ritsumeikan, uno de los más importantes creadores de ilusiones de movimiento.*

¿En qué dirección se mueven los caballitos de mar?

Akiyoshi Kitaoka, profesor de Psicología en Kyoto, Japón, y uno de los principales creadores de ilusiones de movimiento, compuso esta imagen (*Seahorse*) con caballitos de mar «danzantes». La dirección en la que miran los animales corresponde a la de su rotación: el grupo de la izquierda se mueve en el sentido de las agujas del reloj y, el grupo de la derecha, en sentido contrario a las agujas del reloj.

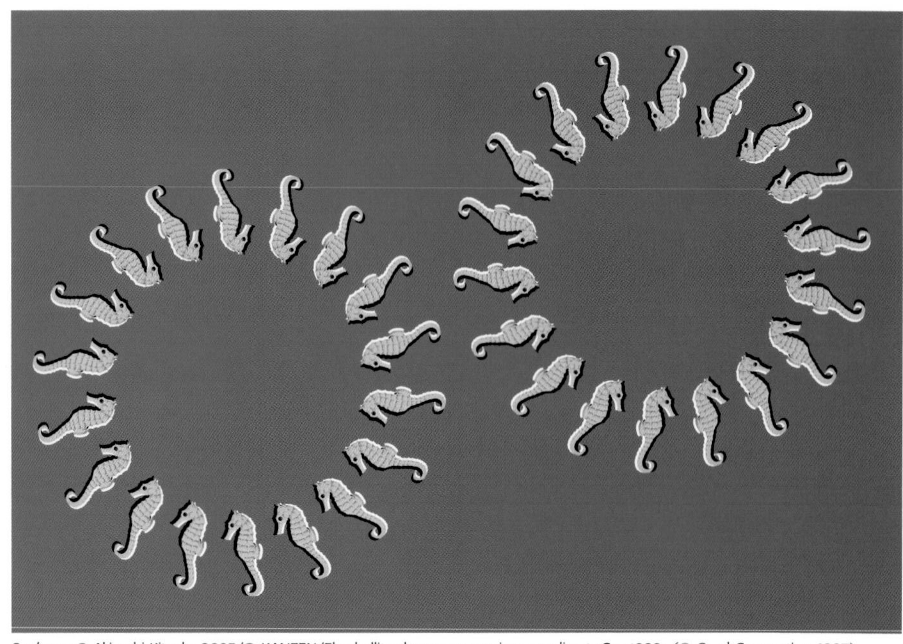

Seahorse © Akiyoshi Kitaoka 2003/© KANZEN/El caballito de mar es una imagen clipart «Crust009» (© Corel Corporation 1997)

Kangai © Akiyoshi Kitaoka 2005/© KANZEN

¿Por qué se mueven los puntos amarillos?

Los movimientos repentinos de los músculos del ojo son los responsables del aparente movimiento en esta imagen de Akiyoshi Kitaoka, titulada *Kangai*. Si fijamos la vista en un punto y no parpadeamos, podemos detener durante breves instantes parte de los objetos que parecen actuar como cilindros. Al primer pestañeo, el movimiento se reinicia. *Kangai* significa «riego» y la imagen simboliza el movimiento del agua en los arrozales de Japón.

¿Le parece que las letras bailan?

No se inquiete, se trata simplemente de otra obra maestra de Akiyoshi Kitaoka, *ECVP waves*, donde las letras parecen moverse como si fueran ondas. Kitaoka creó esta imagen para el concurso convocado con motivo de la celebración del ECVP (Congreso Europeo de Percepción Visual) en la ciudad española de La Coruña en el año 2005. En el marco de este congreso, científicos de todo el mundo trataron el tema de las ilusiones ópticas.

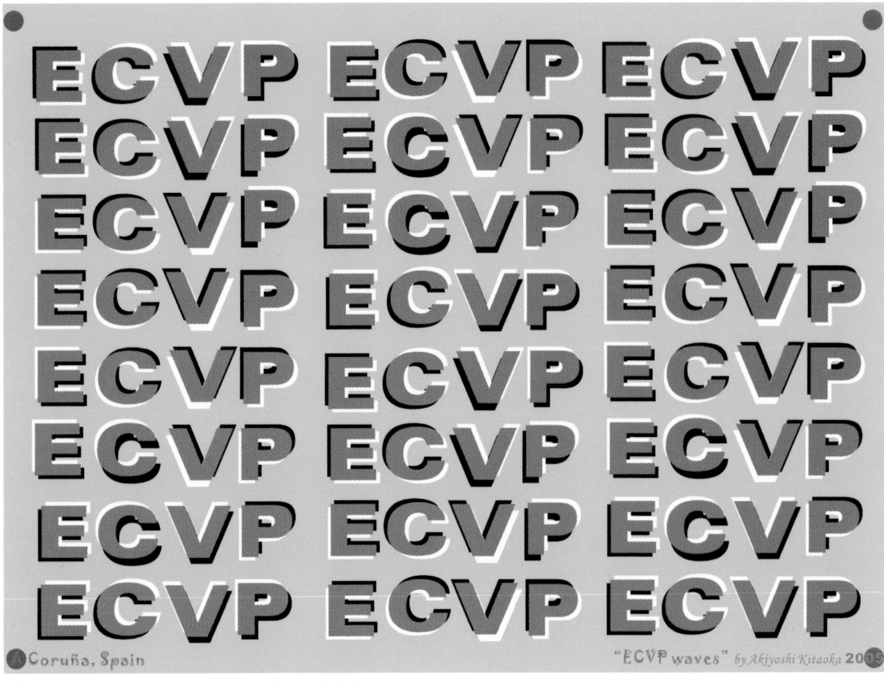

ECVPwavesstrong © Akiyoshi Kitaoka 2005/© KANZEN

¿Le da la impresión de que las ondas se mueven?

Es normal. Nuestros ojos están constantemente en movimiento. En este ejemplo, provocan que algunos elementos de la imagen aún repercutan en muestra retina cuando ya estamos captando la siguiente parte de la imagen. De esta forma, se superponen las dos impresiones visuales y se produce la ilusión de movimiento.

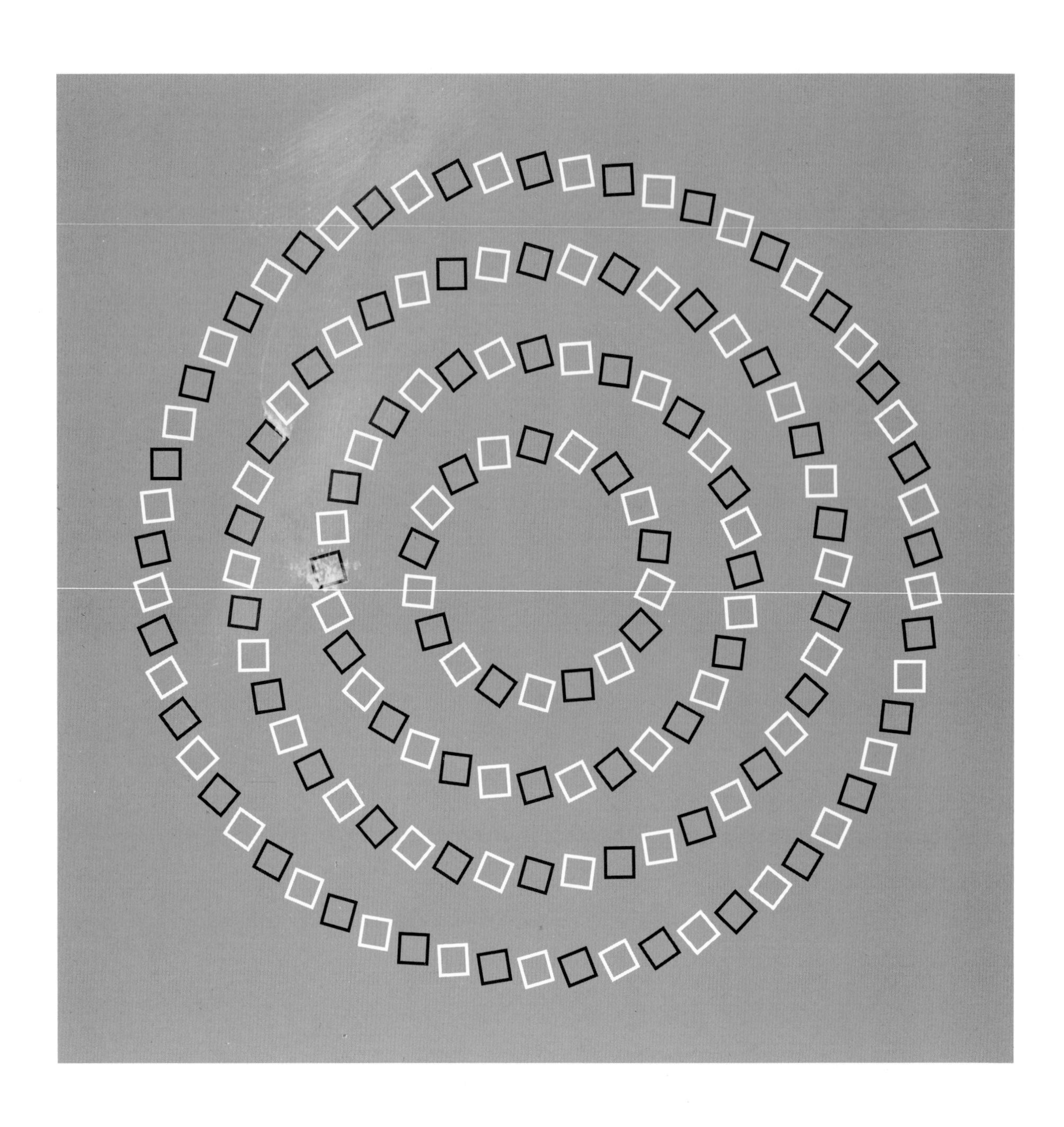

¿Qué ocurre si mueve la cabeza?

Esta ilusión óptica sólo se percibe si movemos la cabeza a un lado y a otro. Es entonces cuando los círculos empiezan a girar de repente. En este caso se produce también otro efecto: ya no somos capaces de reconocer si se trata de cuatro círculos separados o de una espiral que gira. Se necesita cierta concentración para apreciar cuatro círculos independientes.

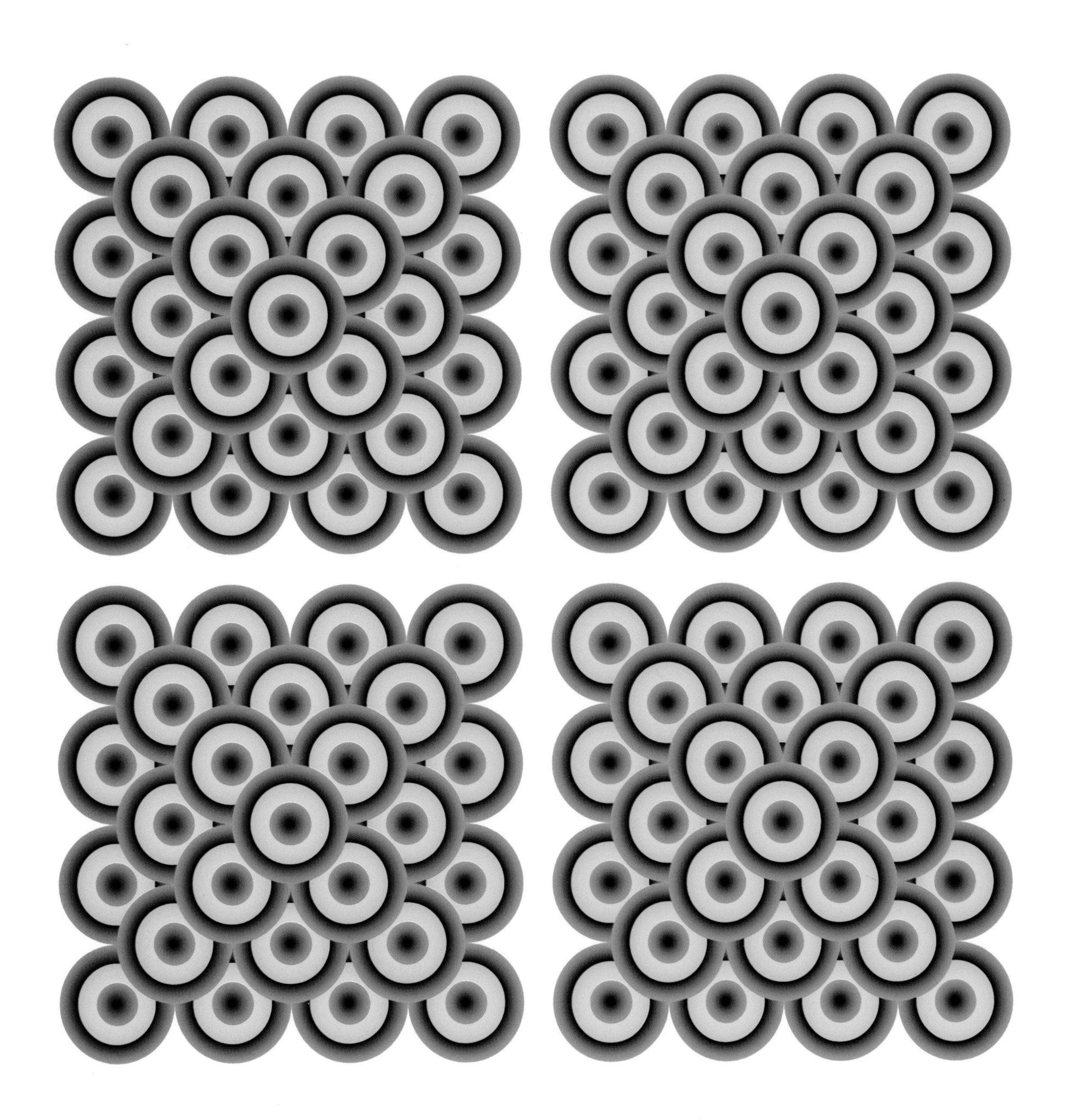

¿Qué movimiento reconoce en estas figuras?

Akiyoshi Kitaoka introduce el movimiento en todas sus obras. Sus ilusiones de movimiento funcionan sin necesidad de mover la cabeza ni las figuras. Lo mismo ocurre con esta imagen, titulada *Koma 2006* (Kreisel 2006). Los objetos circulares, colocados unos encima de otros, parecen palpitar y expandirse; sin embargo, las superficies no se agrandan.

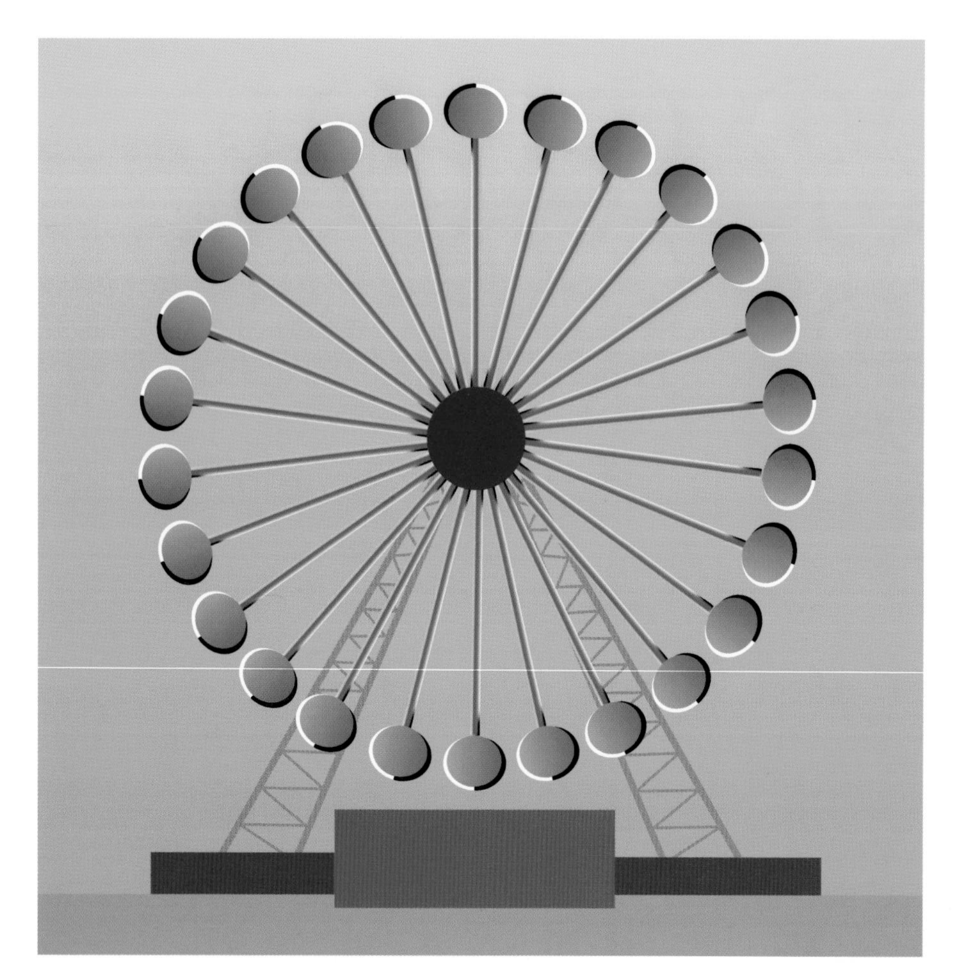

¿Puede poner en marcha esta noria?

¡Sí! Podemos hacer que la noria gire sin motor ni técnicas de animación. Las cabinas, diseñadas siguiendo pautas especiales de configuración, se mueven por sí solas en el sentido de las agujas del reloj. La imagen es obra de Herman Verwaal, artista holandés especializado en ilusiones de movimiento.

¿Podemos animar robots?

Al ver estas dos figuras, ¿quién puede seguir afirmando que es imposible dar vida a un robot? Los círculos de ambas figuras tienen la misma estructura, pero están orientados de diferente manera. Los matices de contraste generados crean una ilusión óptica que nos hace creer que los robots ejecutan movimientos de danza fluidos y elegantes.

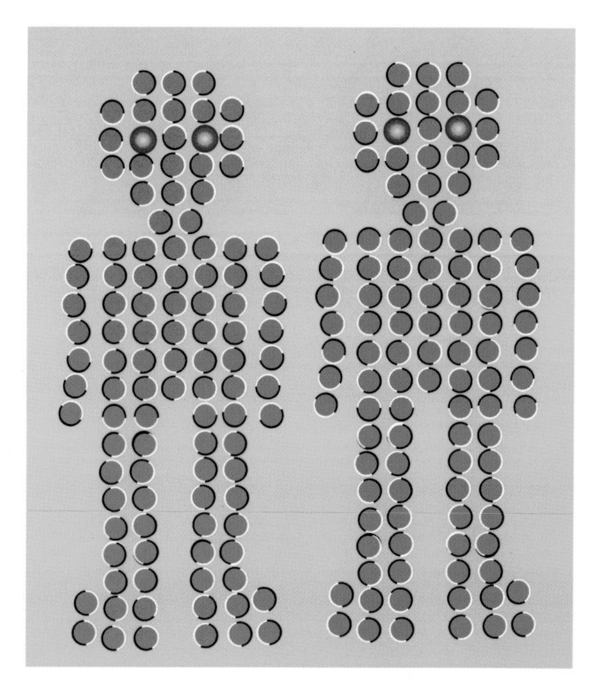

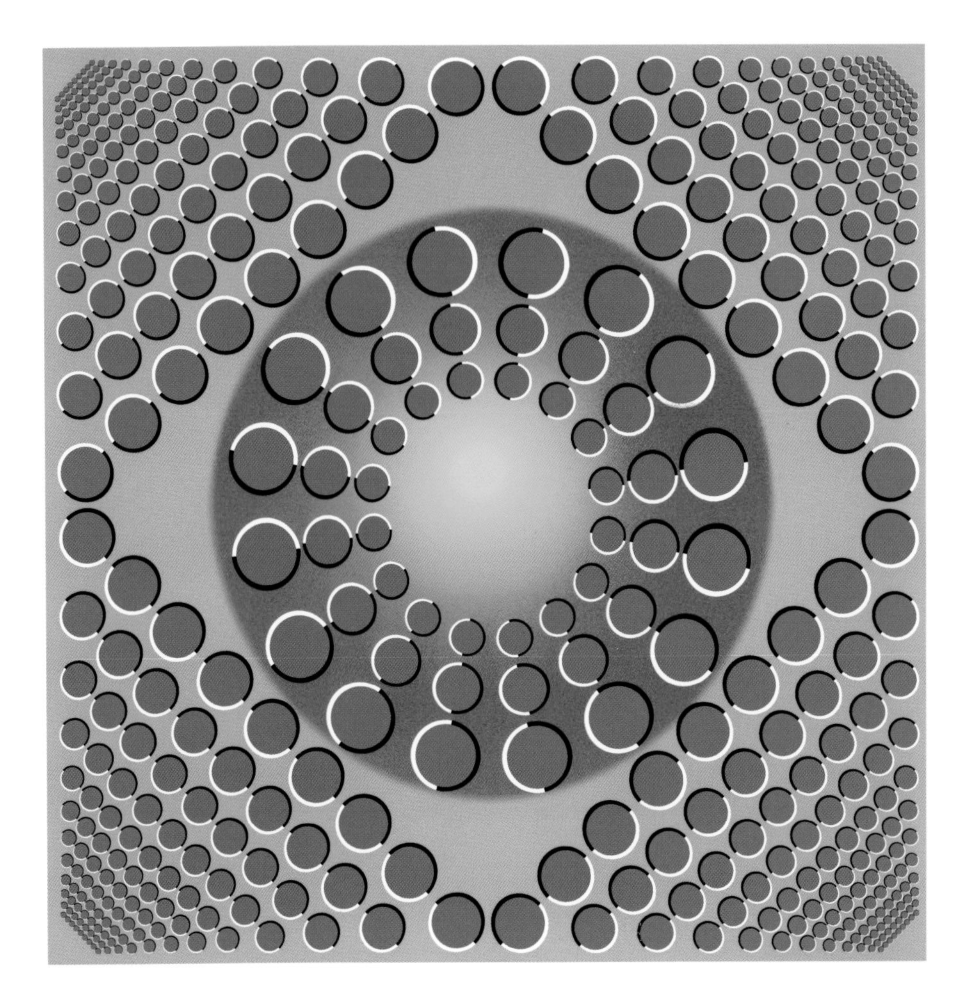

¿Qué se mueve en este caso?

Esta ilusión de movimiento provoca su máximo efecto si, en vez de fijar la vista en el centro, miramos la imagen por el rabillo del ojo. Parece entonces como si los cuatro campos que limitan la figura interior y proporcionan un intenso efecto de profundidad se abrieran y nos permitieran ver una figura que gira hacia la derecha.

¿Cómo se transforman unos pétalos rojos en verdes?

Fije la mirada en el círculo central de la flor. Pronto tendrá la impresión de que el campo azul circundante se expande: la flor parece abrirse. Además de esta ilusión de movimiento, también se produce otra ilusión óptica: si contempla un buen rato la imagen y después mira una superficie blanca, se genera una copia: los pétalos aparecerán entonces de color verde claro.

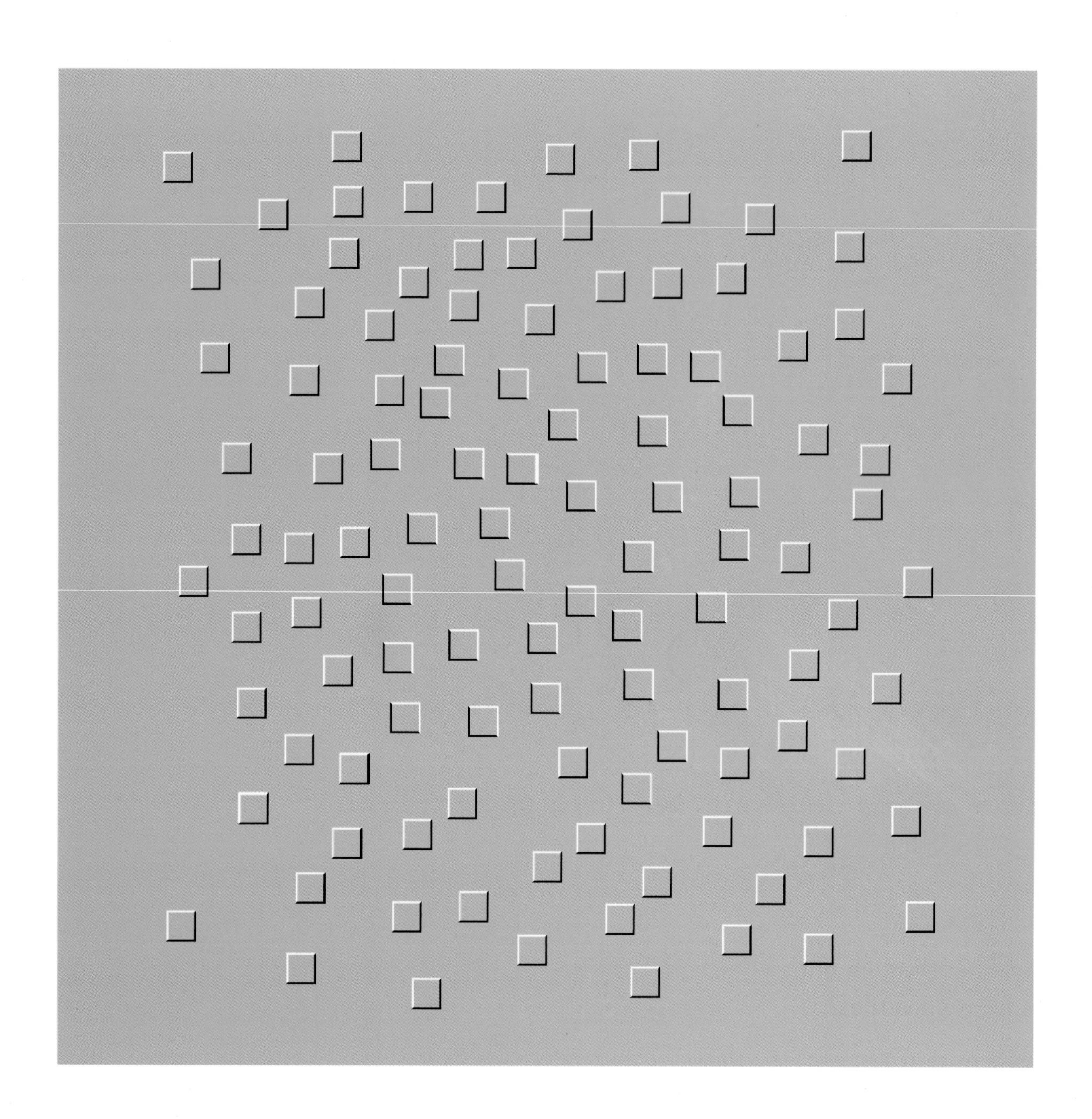

¿Puede mover los cuadrados?

¿Cree que es imposible? En ese caso, mueva ligeramente la cabeza a un lado y a otro unas cuantas veces. Al cabo de un rato, los cuadrados empezarán a moverse en direcciones totalmente distintas y le parecerá que la distancia entre ellos varía. Si fija la mirada en un punto determinado de la imagen, podrá detener el movimiento de una parte de los cuadrados, pero los que están situados más hacia el exterior seguirán moviéndose.

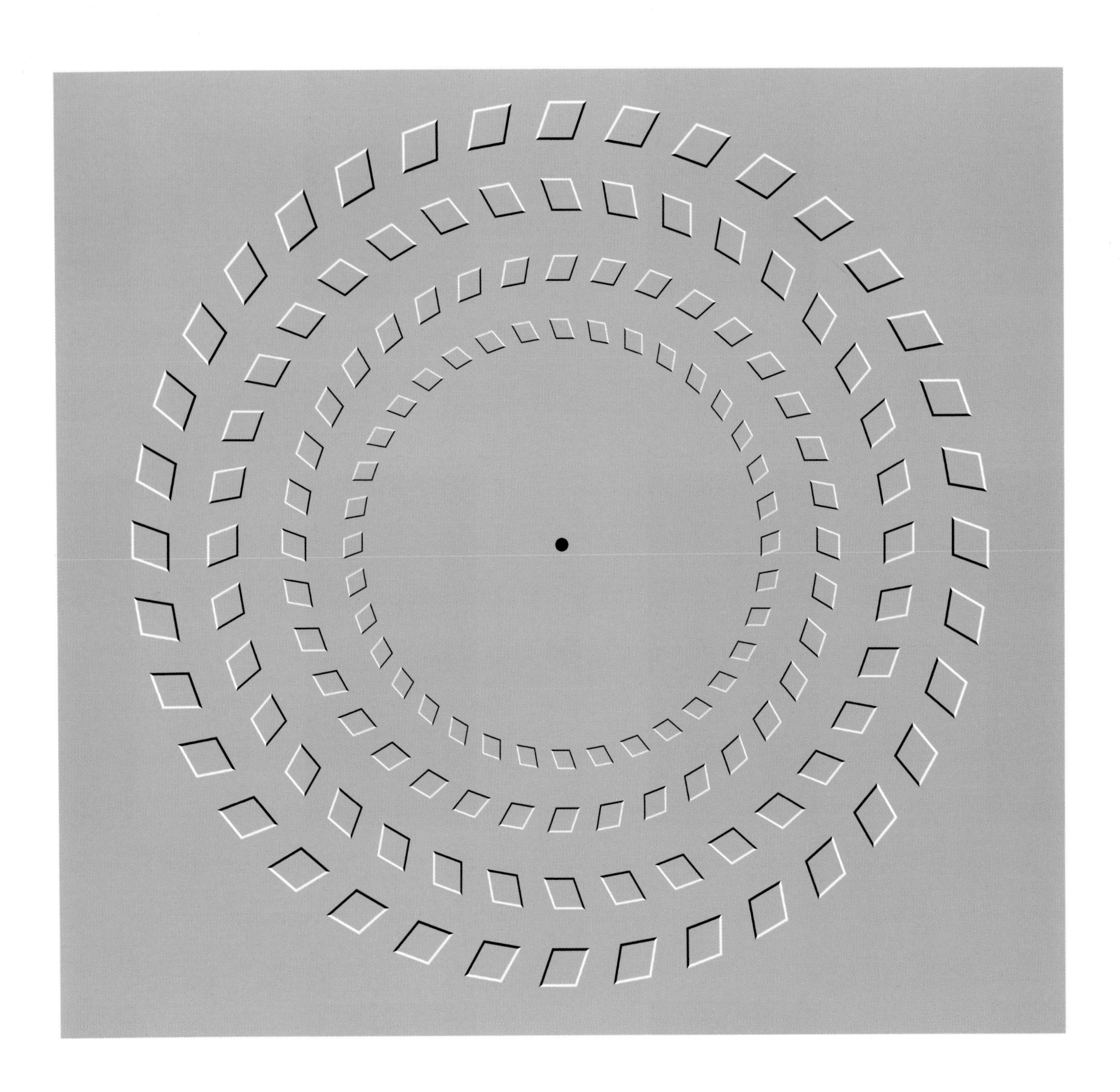

¿Puede distinguir el movimiento de los aros?

¿No? Fije la mirada en el punto negro del centro de la imagen, incline lentamente la cabeza y, acto seguido, aléjese de ella. Le parecerá que los cuatro aros giran, y que lo hacen en direcciones opuestas. Esta ilusión óptica, creada por Baingio Pinna, de quien toma su nombre, se basa en la excitación de las células nerviosas con las que captamos la dirección en la que se mueven los objetos.

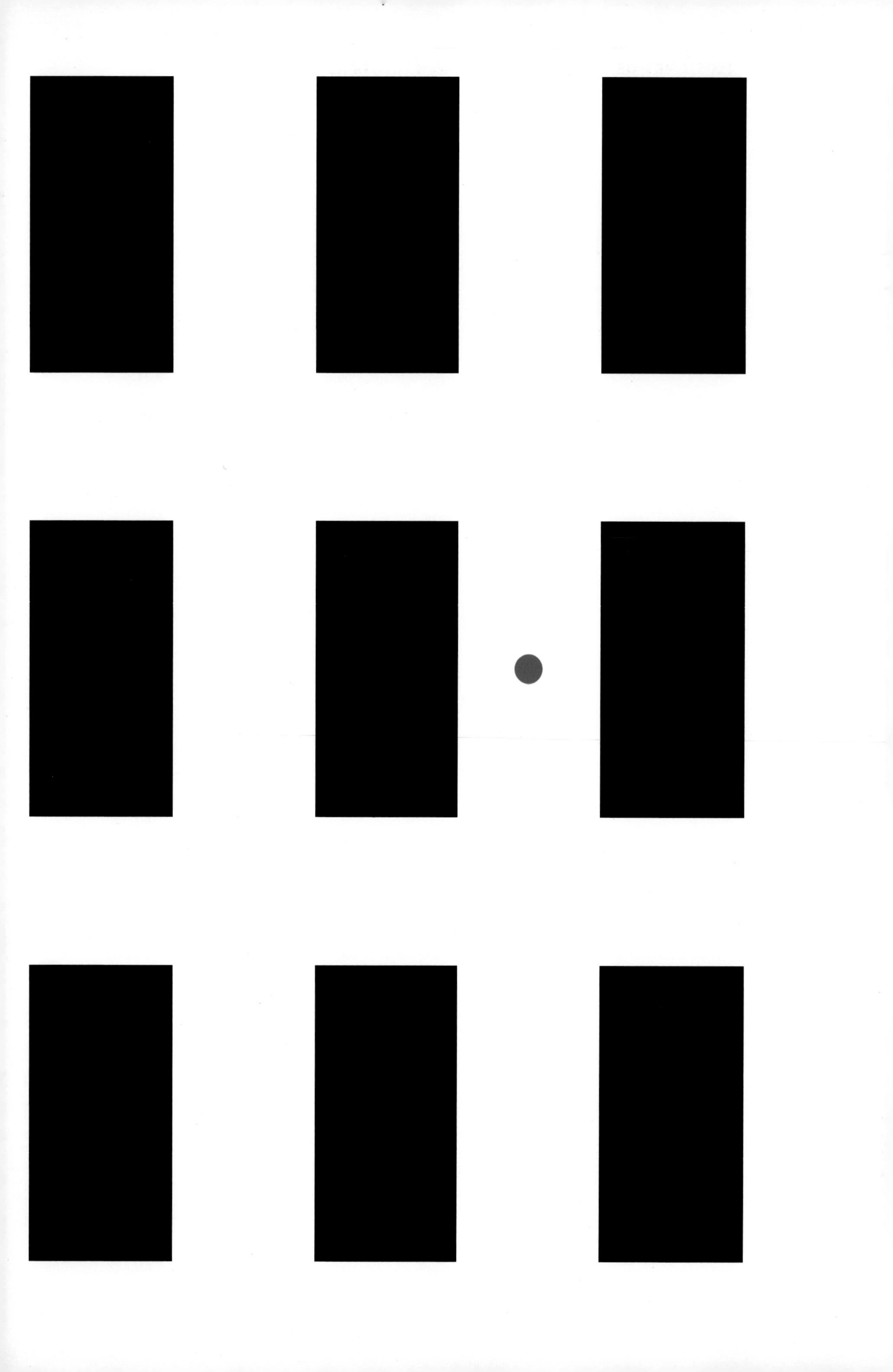

ILUSIONES DE COLOR Y CONTRASTE, FANTASMAS

Todo es relativo. En eso consiste, reducida a la mínima expresión, la compleja teoría de la relatividad de Albert Einstein. El tiempo, el espacio y el movimiento no se pueden valorar en términos absolutos, sino que dependen del punto de vista del observador. Y, si no se pueden contestar en términos absolutos cuestiones aparentemente inequívocas como algunas referentes a la velocidad, ¿cómo juzgar tamaños, colores o formas? En este capítulo se demuestra que la percepción de los objetos no es absoluta. Estamos sujetos a ilusiones creadas por contrastes que nos hacen ver cosas que no existen en realidad. Una imagen, por ejemplo, puede mostrar una o dos líneas según el ángulo de observación. Objetos que percibimos con perfiles claros resultan ser pura invención de nuestro cerebro. Y otros ejemplos destacados nos enseñan que los colores en especial se pueden valorar sólo en términos relativos.

Si observa fijamente el punto rojo durante 30 segundos y después mira una superficie blanca, obtendrá una copia en negativo: los rectángulos negros parecerán entonces claros, y la rejilla blanca, negra.

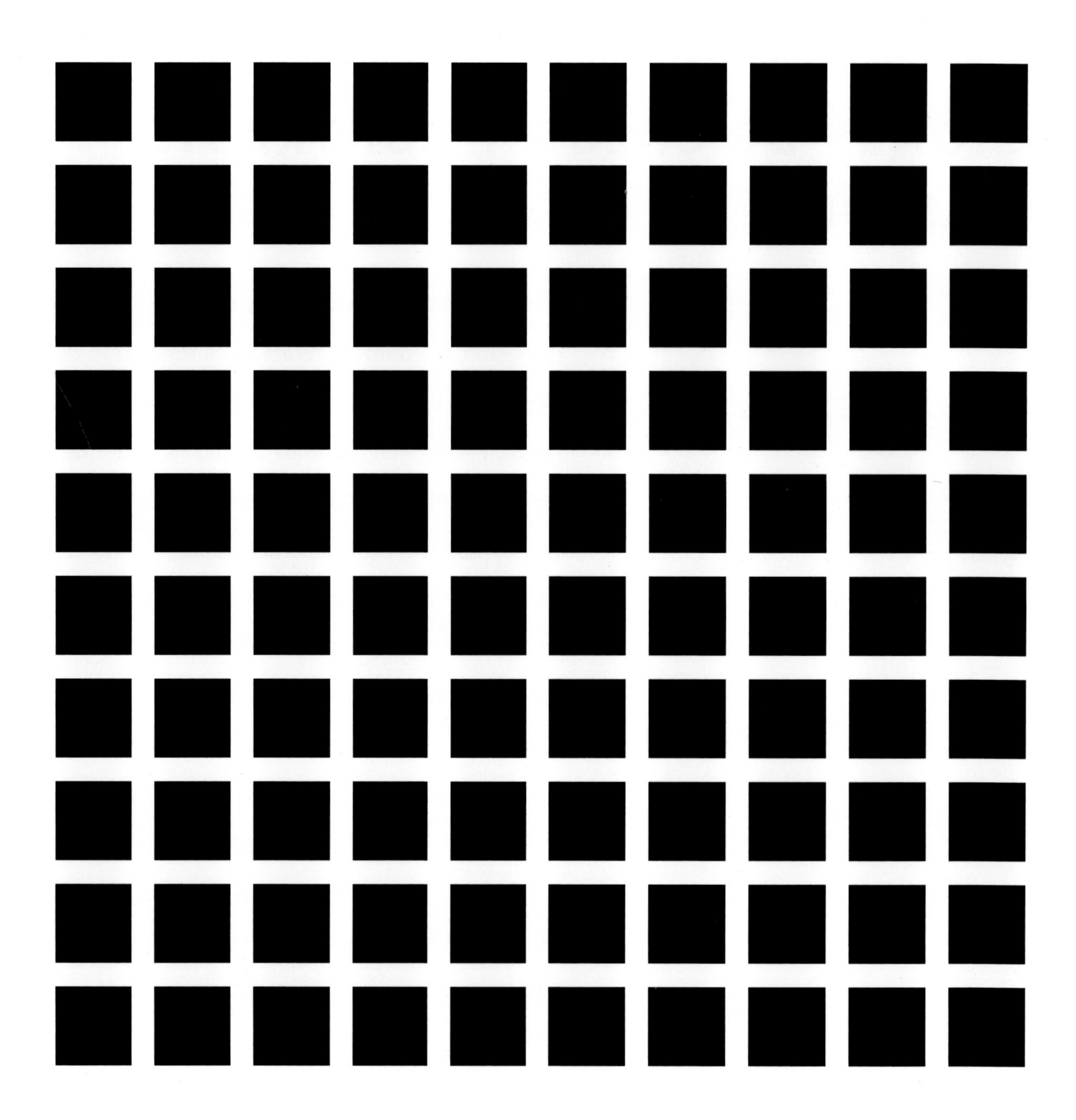

¿Ve algo raro en esta rejilla?

Si desliza la mirada por la rejilla distinguirá unos puntos grises en los puntos de intersección de las líneas blancas que no existen en realidad. El fisiólogo alemán Ludimar Hermann desarrolló esta ilusión óptica en el año 1870. La causa se atribuye a la inhibición mutua de los receptores de la retina, así como a la compresión y codificación de las señales y de la información procedente del ojo, que nuestro cerebro analiza entonces erróneamente.

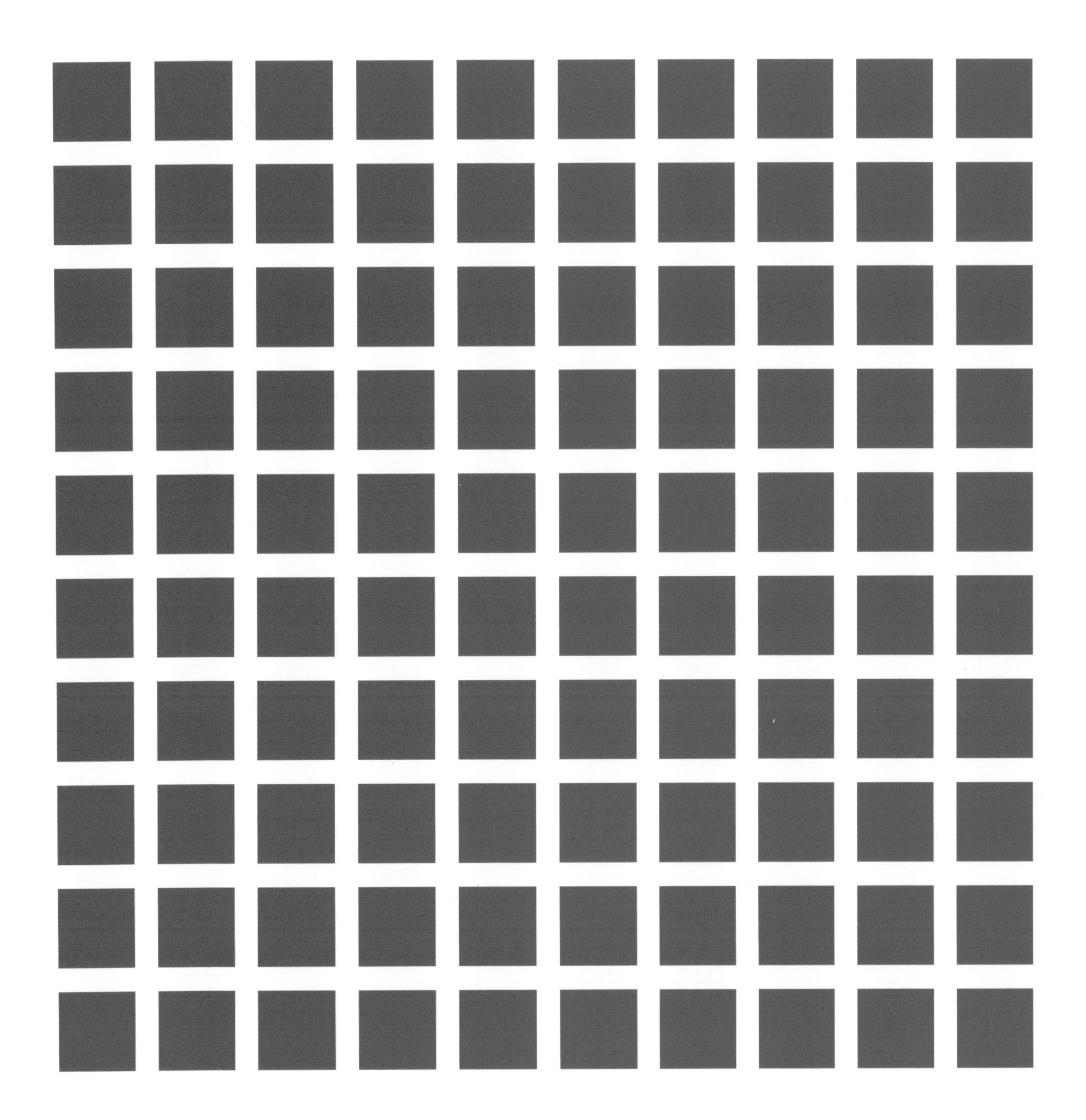

¿Ve puntos de color rojo pálido en esta trama?

También con esta ejemplo rojo y blanco se produce una ilusión óptica a causa de la llamada inhibición lateral. Las células encargadas de transmitir señales visuales pueden resultar inhibidas o fortalecidas, según si el estímulo lumínico se encuentra en el centro o en la zona exterior. En la zona de puntos de intersección tiene lugar una inhibición de las células, un efecto que, en esta figura, percibimos en forma de puntos centelleantes de color rojo claro.

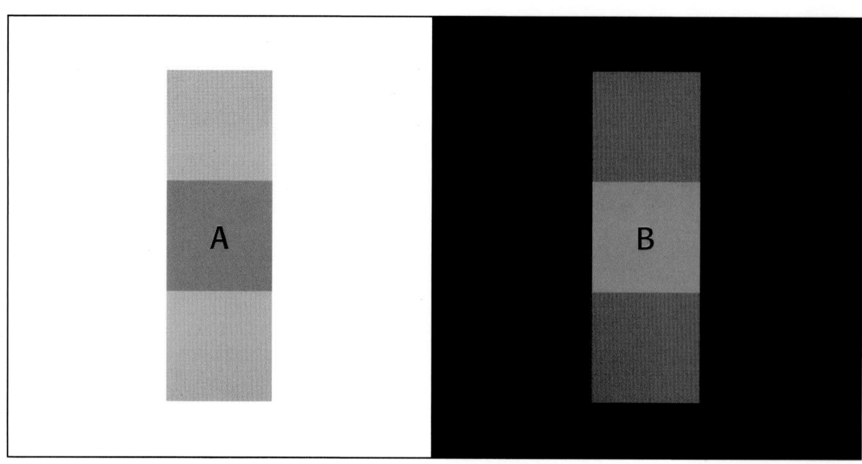

Enhanced brightness contrast © Kitaoka 2005 www.ritsumei.ac.jp/~akitaoka/index-e.html

¿Qué cuadrado es más claro, el A o el B?

Probablemente haya concluido que el cuadrado B de la figura de la derecha es más claro que el cuadrado A. Sin embargo, no existe la más mínima divergencia en el tono de ambos. Esta imagen, conocida como *Enhanced Brightness* (brillo óptimo) demuestra que la visión de los colores y del brillo es relativa. Es obvio que nuestra percepción depende del colorido de las superficies circundantes.

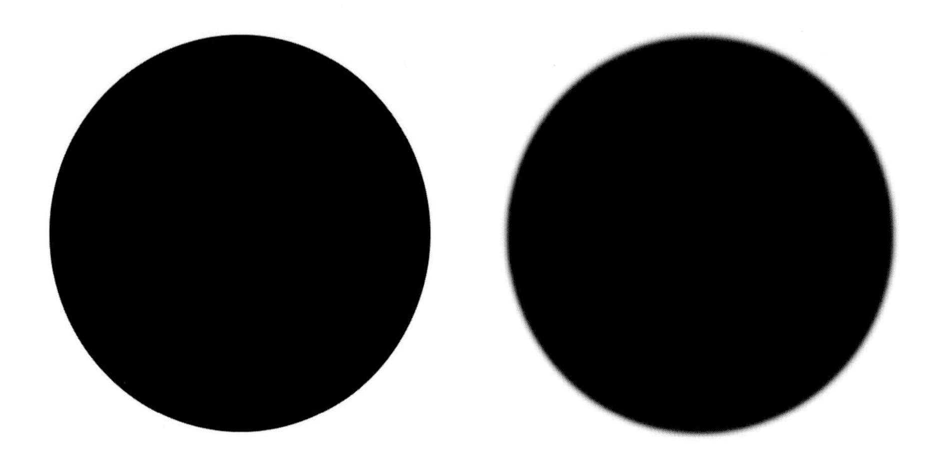

¿Encuentra alguna diferencia de color entre los círculos?

¿Cree que el círculo de la izquierda es más negro que el de la derecha? Tenga por seguro que el tono y la opacidad son completamente idénticos. La diferencia de nitidez entre ambos círculos provoca esta ilusión. El círculo de la izquierda presenta un contorno nítido y contrastado. Eso hace que parezca más oscuro e intenso. En el círculo de la izquierda ocurre lo contrario.

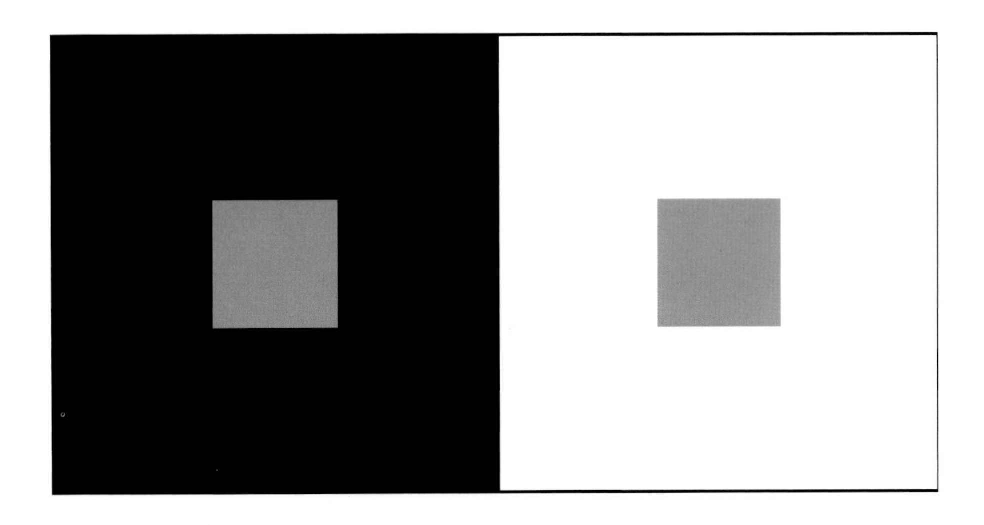

¿Tienen los cuadrados grises el mismo tono?

En este ejemplo, los colores del fondo también influyen en la percepción. El cuadrado de la derecha parece más oscuro. No obstante, la supuesta diferencia de color no se aprecia tan claramente como en la figura de la página anterior. Esto se debe a la ausencia de las áreas grises contiguas, que refuerzan la ilusión óptica mediante tonos diferentes de un mismo color.

¿Qué círculo es más oscuro?

¿Cree que el círculo de la derecha es más oscuro? Una valoración común entre todos los observadores. En este caso, nuestro cerebro interpreta el fondo más claro como iluminación más clara del objeto. Los dos círculos reflejan la misma cantidad de luz, pero la iluminación aparentemente distinta provoca que el de la derecha parezca más oscuro. Este efecto es conocido como contraste de brillo simultáneo.

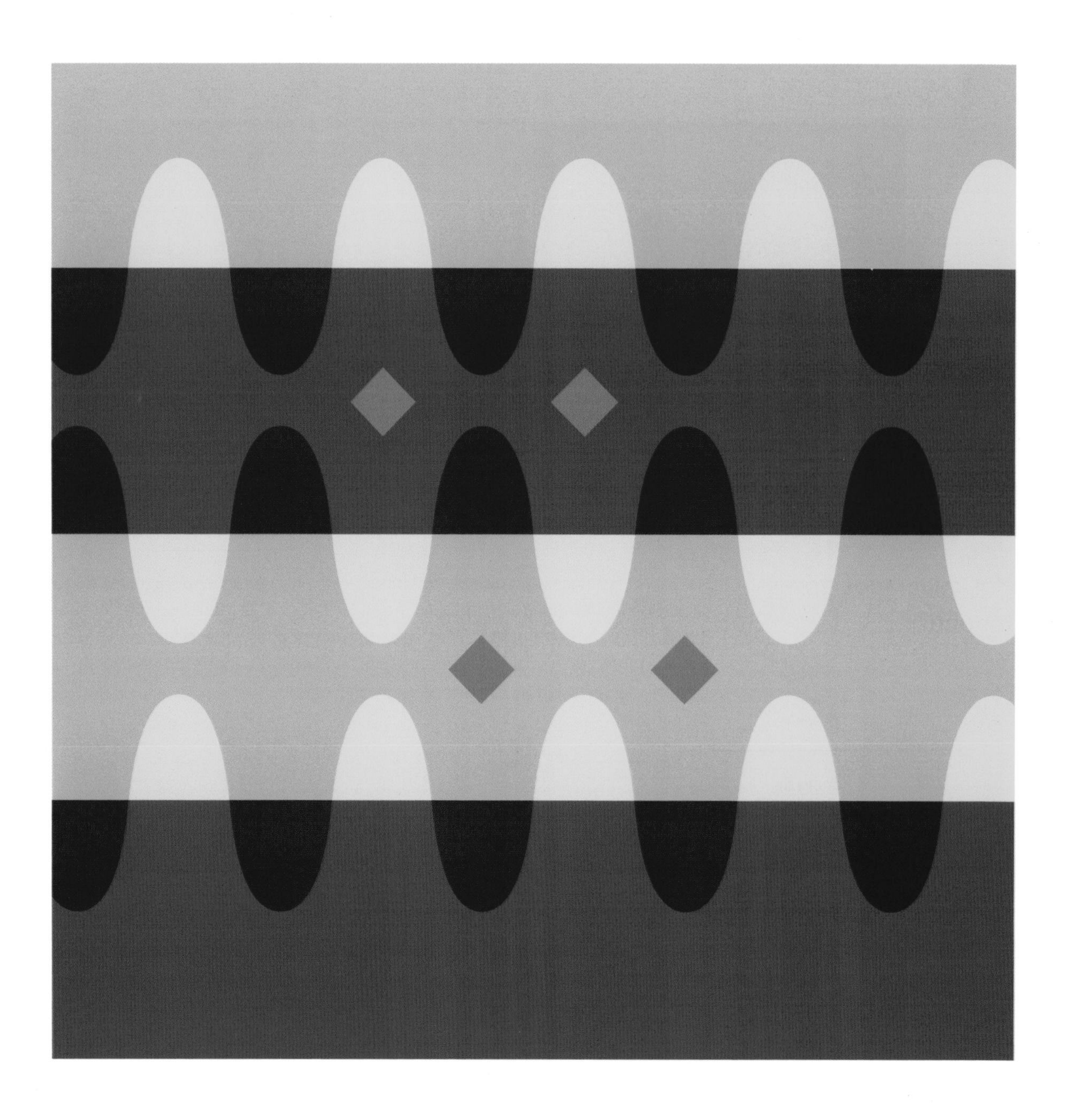

¿Puede agrupar los elementos del mismo tono de la imagen ?

Algunas variantes parecen ofrecer tal posibilidad. Sin embargo, casi nadie cree que se puedan agrupar los cuatro cuadraditos del centro de la imagen, a pesar de que realmente son del mismo tono.

Las diferencias de brillo, intensificadas por la dependencia de las superficies contiguas, se acentúan con especial intensidad a consecuencia del pequeño tamaño de los cuadrados.

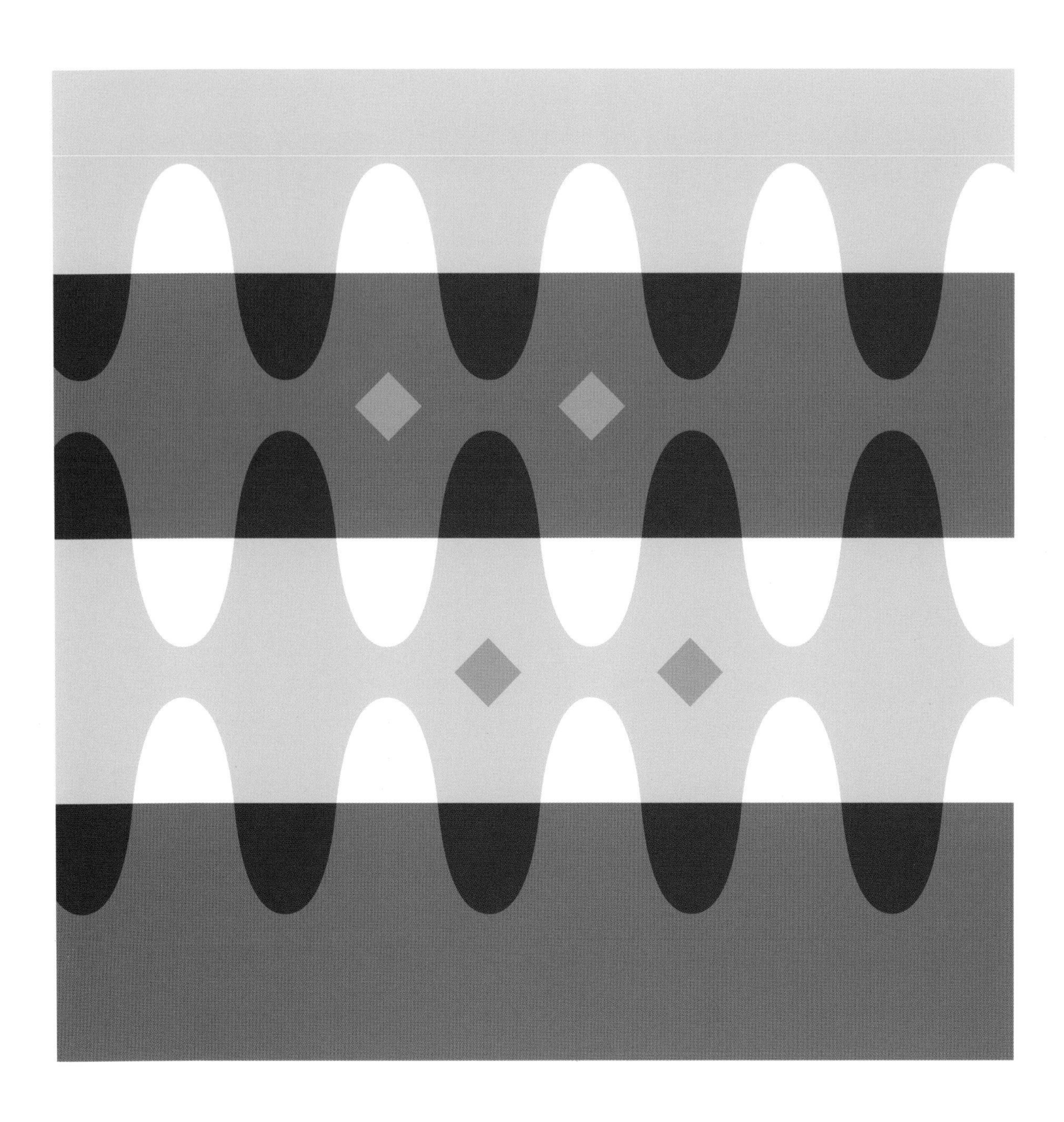

¿Cree que los cuadraditos tienen un tono idéntico?

¡Los cuatro cuadrados de la imagen presentan el mismo tono! Este ejemplo demuestra que, además del contraste de brillo anteriormente mencionado, también existe un contraste de color simultáneo. Es decir, las muestras pueden ser del mismo color, pero si se ubican en entornos que difieren de tonalidad entre sí, nuestro cerebro interpretará que las muestras idénticas son de distinto tono.

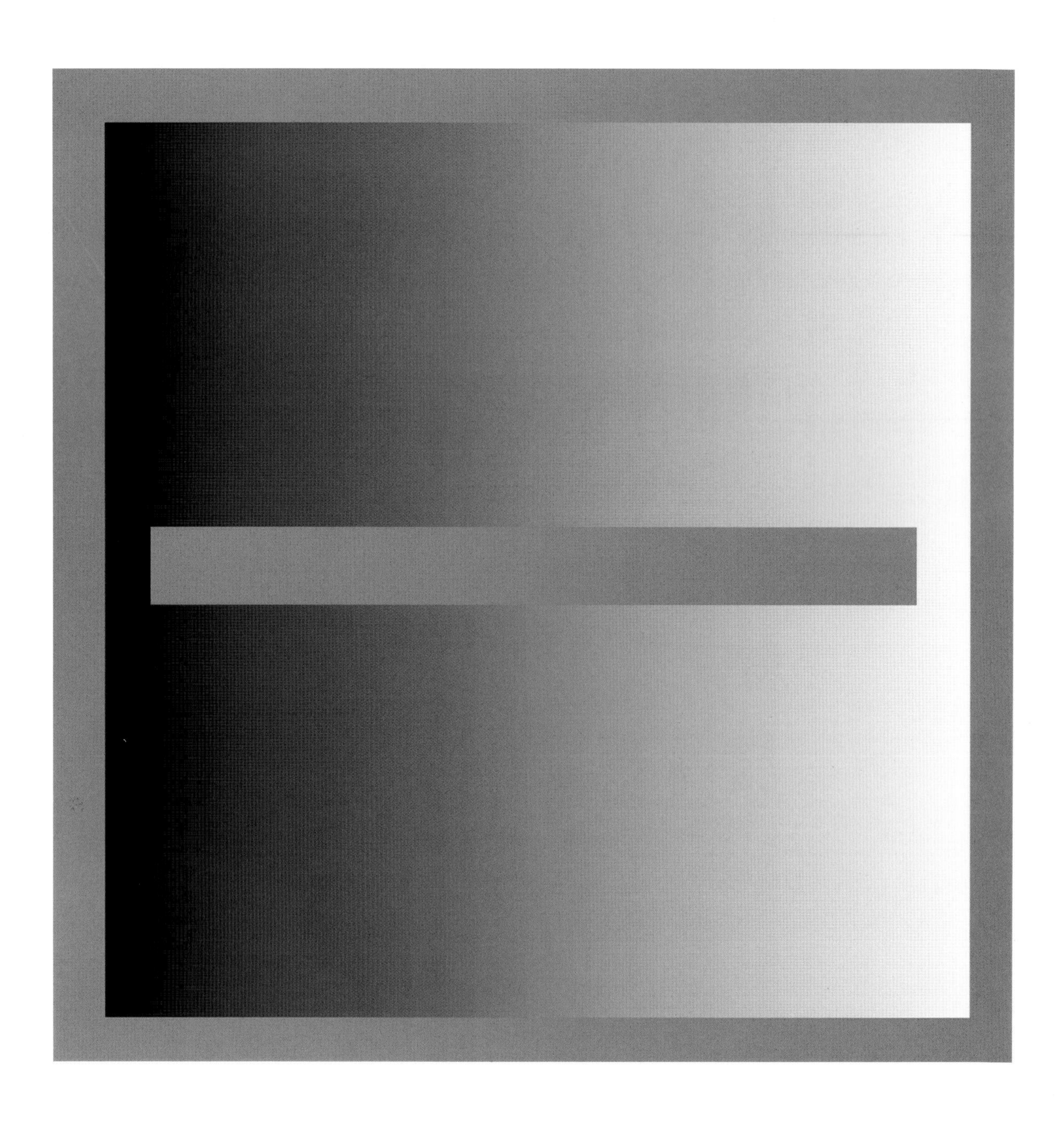

¿Ve una escala de grises en la barra?

Si la respuesta es afirmativa, tape todo el fondo coloreado con un papel y comprobará con perplejidad que la barra revela un tono gris uniforme. Esta ilusión óptica, un contraste de luz simultáneo, se produce a causa de la escala de grises continua del fondo. La barra parece más clara sobre el fondo oscuro y más oscura sobre la superficie clara.

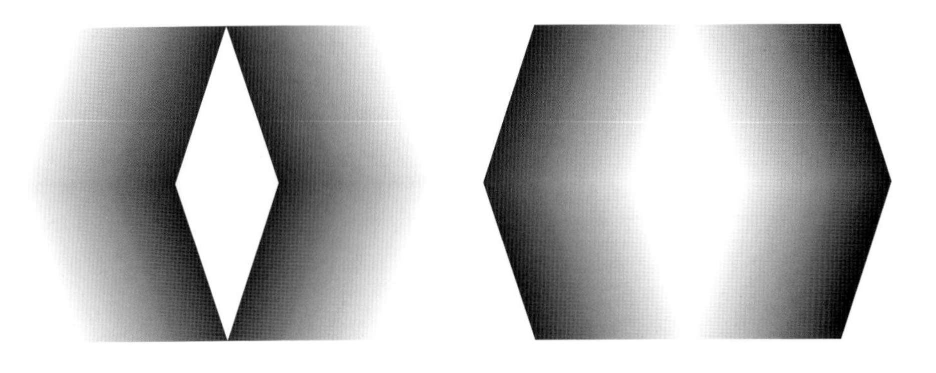

¿Qué rombo tiene más intensidad de luz?

Aunque las marcas de detergentes nos digan otra cosa, no existe el blanco más blanco. Aun así, al observar estas imágenes, esa impresión resulta inevitable. Sin embargo, ambos rombos son igual de claros. Mientras que en el ejemplo de la izquierda se da un contraste de brillo evidente, en el degradado de grises de la derecha ocurre lo contrario. Por eso el rombo parece que sea «más blanco» y que brille de verdad.

¿Es continuo el tono negro de la barra horizontal?

Probablemente tiene la sensación de que las franjas amarillas continúan por detrás de las barras negras y por eso dejan una impresión de color en la barra. No es ninguna casualidad que esta ilustración del psicólogo japonés Akiyoshi Kitaoka lleve por título *Photopic phantoms:* realmente, se trata de «fantasmas». La barra, en realidad, posee un tono negro homogéneo.

Receding color/Enhanced Fraser-Wilcox illusion, Type III and photopic phantoms © Kitaoka (2006) y Kitaoka, Gyoba y Kawabata (1999)

¿Qué formas encierran los extremos de las líneas negras?

La pregunta parece fácil de responder: círculos blancos. Pero ¿existen realmente? No. Se trata de contornos ilusorios que, no obstante, percibimos como círculos perfectos y delimitados. Además, presentan una intensa luminosidad en comparación con el fondo blanco, ya que parece que los círculos brillen. Esta ilusión óptica, una versión de la rejilla de Hermann, fue desarrollada por Walter Ehrenstein.

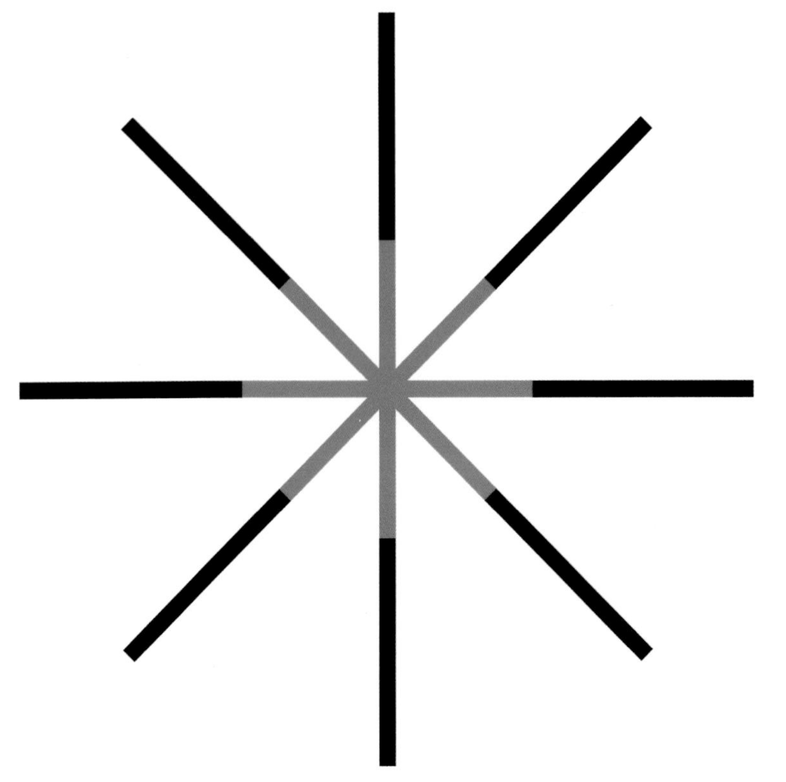

¿Qué figura se ve en el punto de intersección de las líneas?

Esta ilustración es una modificación de la figura de Ehrenstein. En este caso, en vez de un espacio vacío antes del punto de intersección de las líneas, es la inclusión de una pequeña estrella roja sobre la estrella negra de líneas más largas lo que provoca que distingamos un círculo rojizo, cuya área está determinada por la longitud de las líneas rojas.

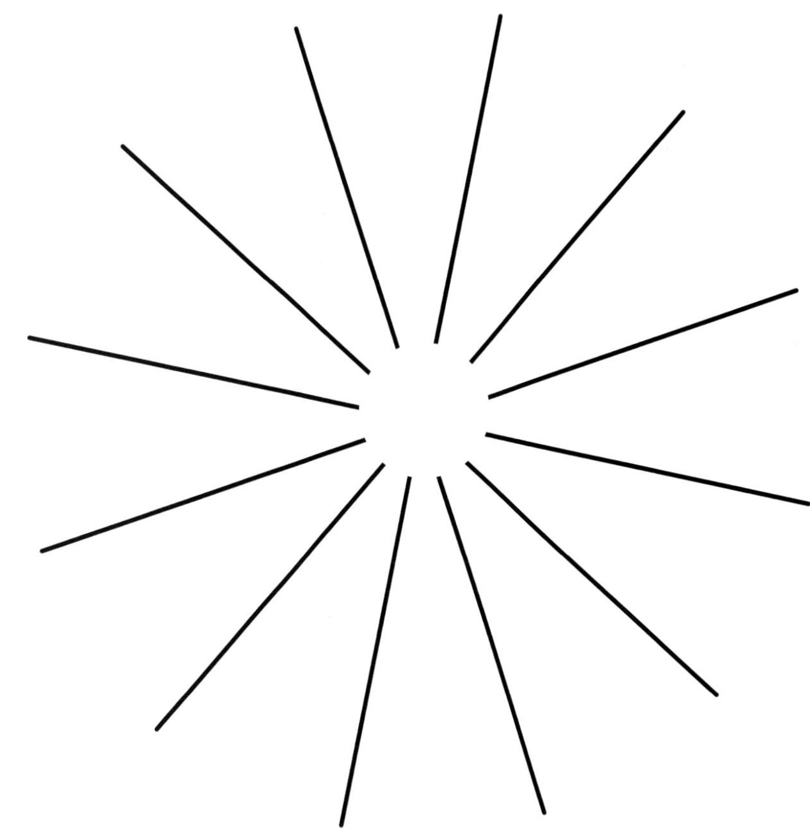

¿Le parece que el círculo del centro es «más blanco que blanco»?

La respuesta espontánea debería ser en realidad: ¿Qué círculo? En este caso, ocurre lo mismo que en el gran modelo de Ehrenstein ya comentado: en los puntos de intersección de las líneas sólo se encuentra un contorno ilusorio y no un círculo real. En efecto, las ilusiones de contraste, todavía no aclaradas totalmente, provocan que el círculo hipotético parezca más claro y «más blanco» que el fondo.

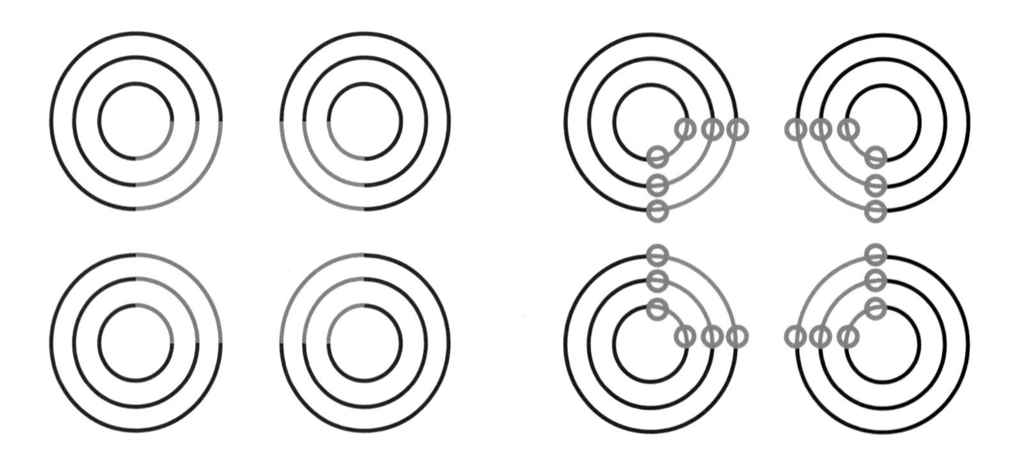

¿Ve un cuadrado azul turquesa en esta ilustración?

En la figura de la izquierda parece que hayan colocado un cuadrado turquesa semitransparente sobre algunas secciones de los círculos y una parte del fondo. Sin embargo, en realidad sólo se ha coloreado de color turquesa un cuarto de cada una de las circunferencias. Como puede verse en la figura de la derecha, la ilusión de color llamada efecto neón se anula mediante pequeños círculos que interrumpen el proceso de interpretación de nuestro cerebro.

¿Nota algo extraño en los cuadrados blancos de la rejilla?

Si compara las tonalidades de los cuadrados pequeños y del fondo blanco, los cuadrados de las intersecciones le parecerán más claros y brillantes. Este modelo es una inversión de la rejilla de Hermann. En vez de inhibirse los receptores, en este ejemplo se potencian y por eso da la impresión de que los cuadrados pequeños situados en las líneas de la rejilla son «más que blancos».

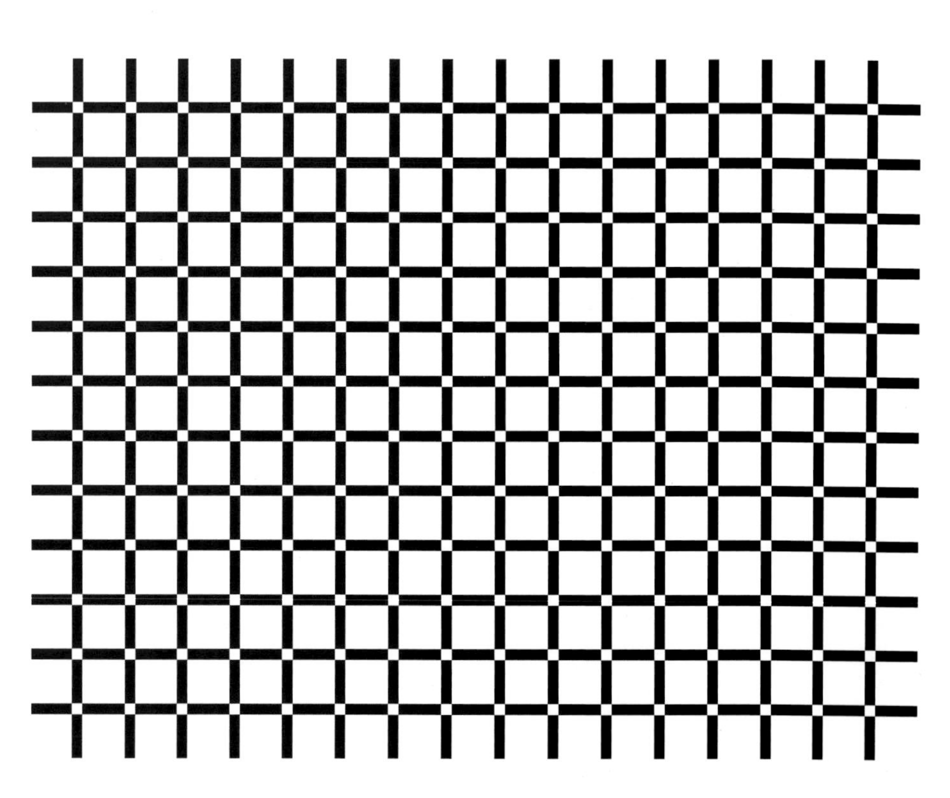

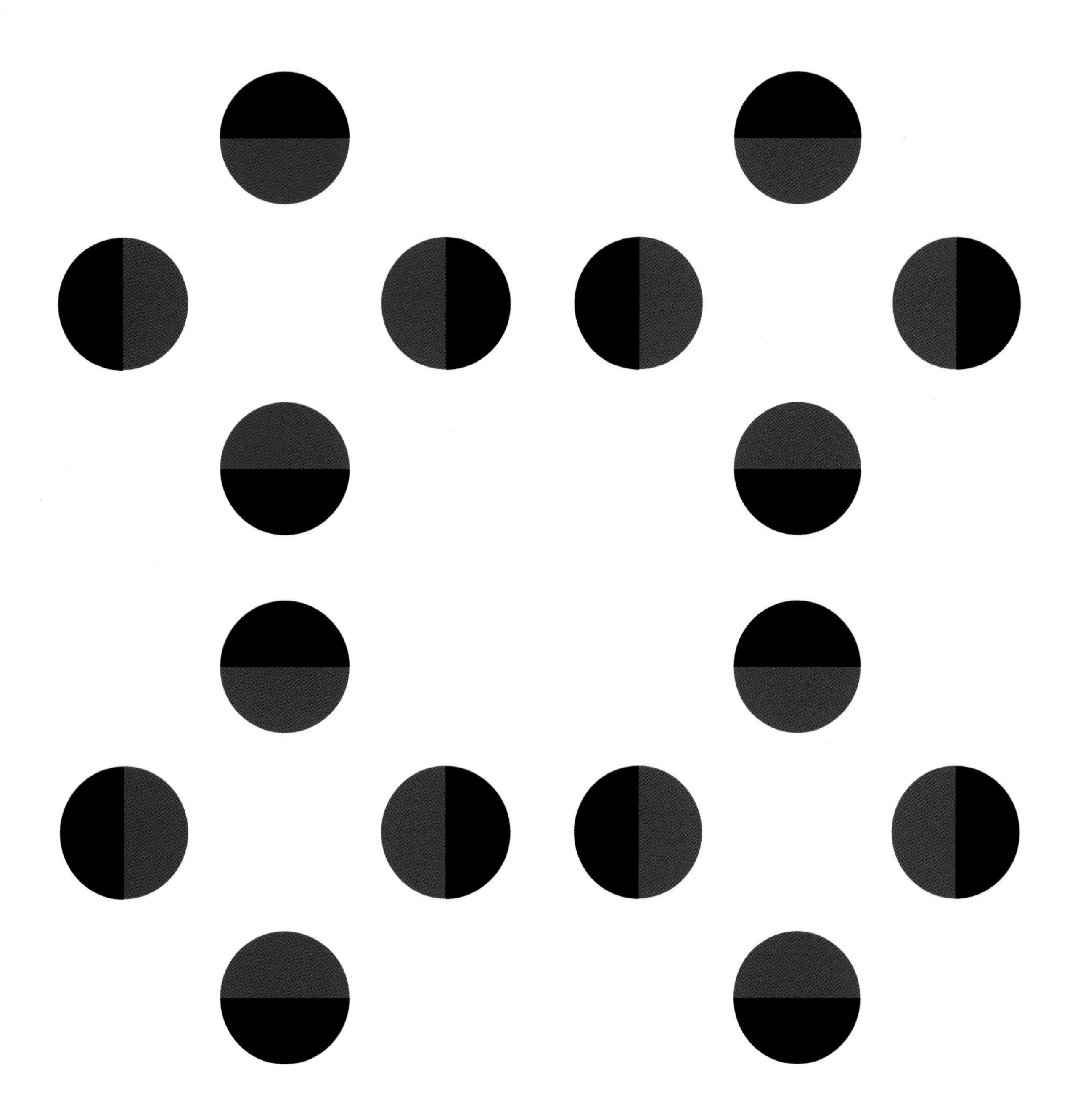

Aparte de los 16 círculos azules y negros, ¿qué más se puede ver en esta imagen?

Además de los 16 círculos, un efecto neón nos permite distinguir también cuatro cuadrados, ubicados en el centro de los círculos ordenados en grupos de cuatro. Causa perplejidad comprobar que cuatro círculos coloreados por la mitad y enfrentados puedan crear la ilusión de un cuadrado claramente delimitado que, de forma automática, se rellena con un color.

En esta imagen, ¿ve dos o tres líneas?

No se precipite a la hora de responder, porque la firme convicción de que solo pueden verse dos líneas podría tambalearse si mira la imagen desde otra perspectiva. No observe la imagen desde arriba, sino en ángulo recto desde abajo. Aproxime entonces la imagen a sus ojos y comprobará con asombro que aparece una tercera línea.

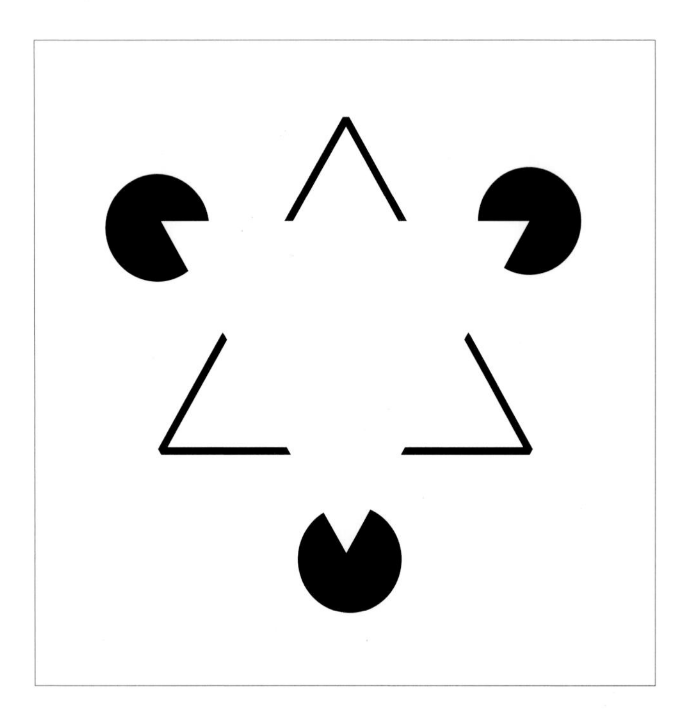

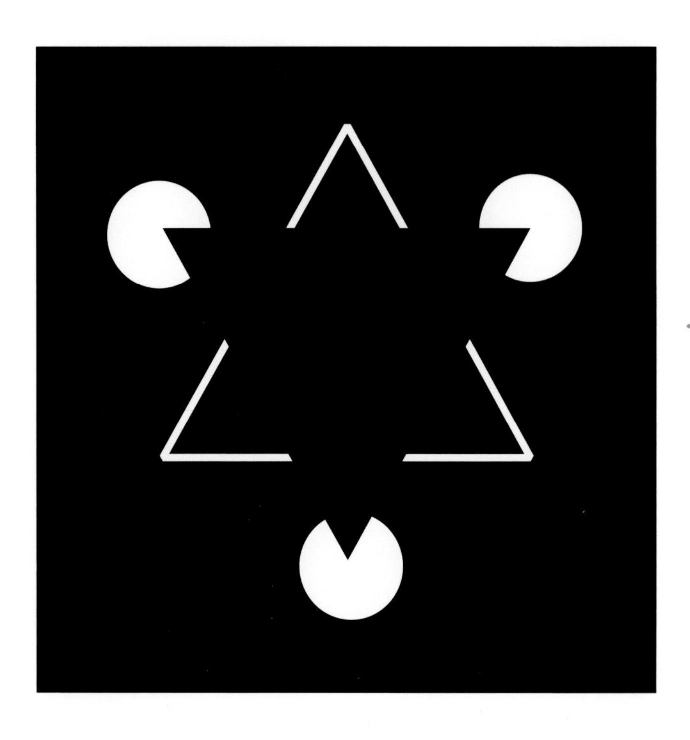

¿Distingue los triángulos en ambas figuras?

Estos «triángulos de Kanisza», diseñados por Gaetano Kanisza, demuestran de manera impresionante la capacidad de nuestro cerebro para componer una forma a partir de contornos intuidos. En cada una de las figuras hay un triángulo que parece encontrarse en primer plano y que, por una ilusión de contraste, se percibe como «más que blanco» o «más que negro» respectivamente.

¿Qué distingue en esta imagen?

Una simple mirada basta para reconocer de inmediato un árbol de Navidad en la figura. Incluso si le damos la vuelta o tapamos una parte, nuestro cerebro completa la alineación aparentemente absurda de unos círculos negros seccionados y forma un todo con sentido. Entonces, los círculos no sólo ofrecen contornos para formar un abeto, sino que parecen adornos típicos de Navidad.

¿Cuántos triángulos distingue?

La respuesta está clara: dos. Esta versión de un triángulo de Kanisza demuestra que nuestro cerebro necesita pocos puntos de referencia para distinguir una figura conocida. Bastan tres puntos rojos para que el perfil imaginario de un triángulo sin contornos reales sea perfecto. Si nuestro cerebro no fuera capaz de completar esas formas, nos sería casi imposible orientarnos.

¿Cómo se consigue, sin lápiz ni colores, convertir un corazón rojo en verde?

Muy sencillo, aunque no sea sobre el papel, sino «ante» sus ojos. Mire fijamente la imagen durante unos 30 segundos. A continuación, mire una superficie blanca y al instante verá en ella un corazón rojo. En este caso, se trata de lo que se ha dado en llamar una copia en negativo, cuya causa se atribuye a la fatiga de los receptores de la retina.

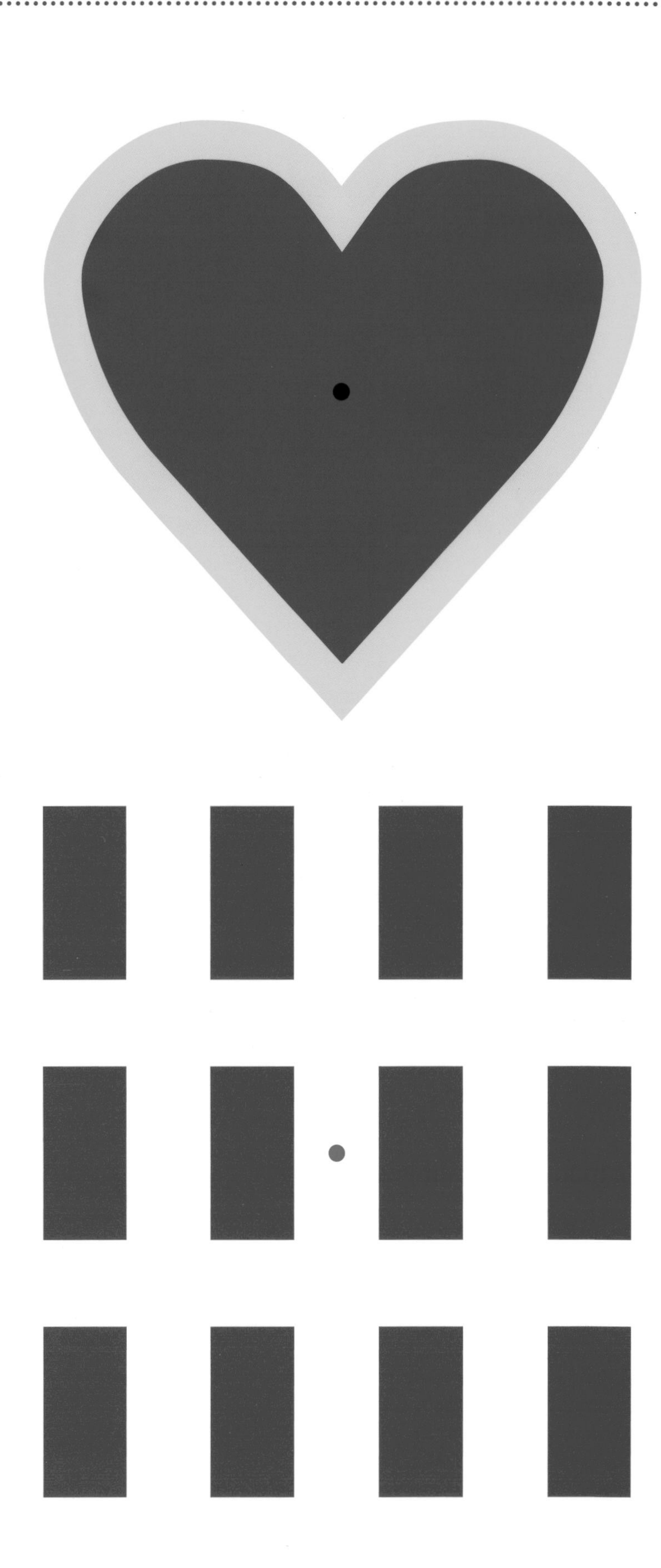

¿Qué reflejo genera este modelo?

Contemple la imagen aproximadamente 30 segundos y a continuación mire una superficie blanca. Los rectángulos que antes eran rojos adquirirán un tono azul brillante, color complementario del rojo. Este intenso efecto es la principal causa de que en los quirófanos se usen prendas azules o verdes, en vez de blancas: si observáramos heridas abiertas sobre prendas y sábanas blancas durante mucho rato tendríamos la molesta sensación de ver reflejos de éstas en azul.

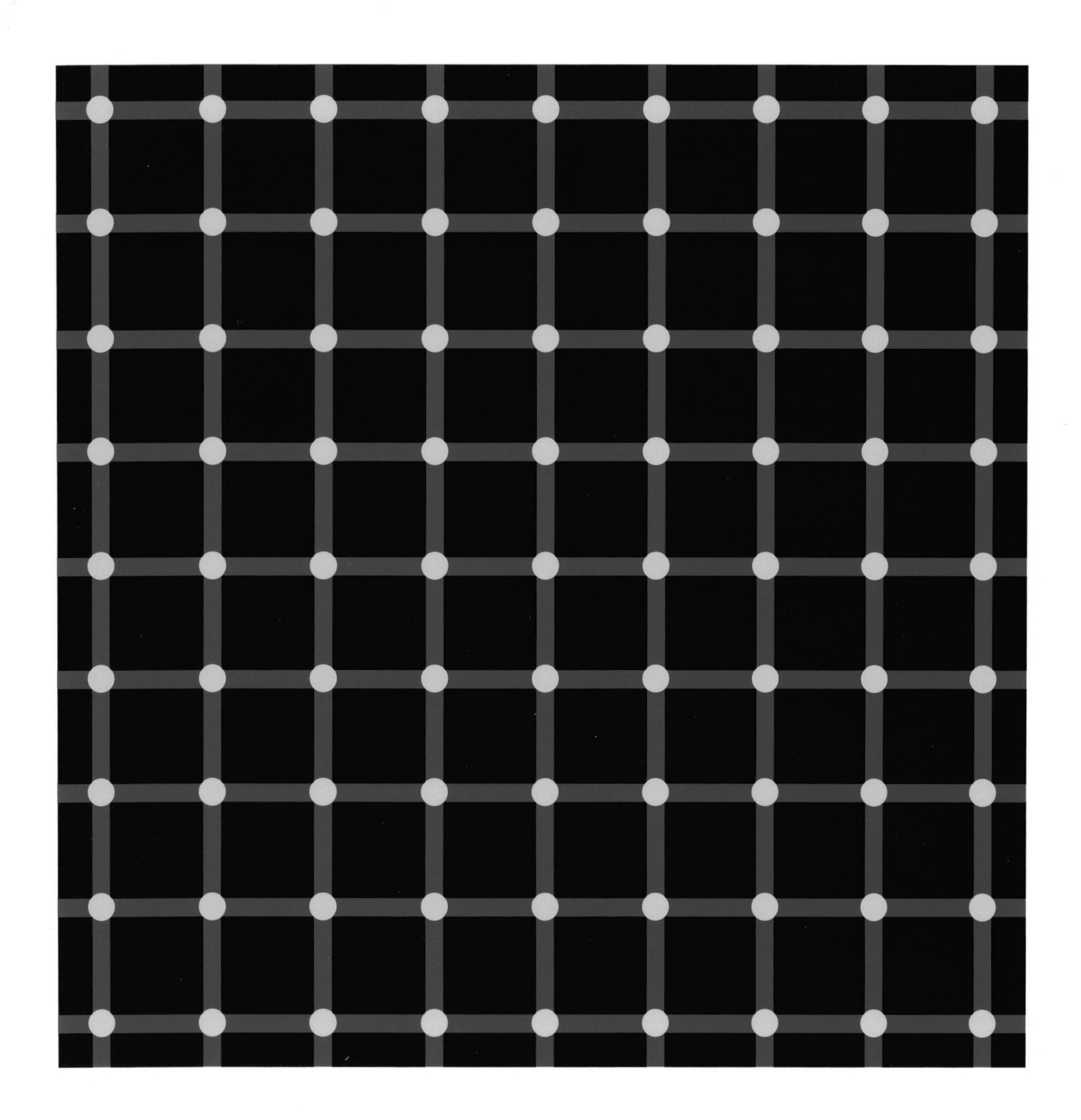

¿Puede contar los puntos azules y amarillos en la intersección de las líneas?

¡No! Es una misión imposible, puesto que los puntos azules centelleantes desaparecen en el instante en el que intentamos fijarlos. Esta ilusión óptica fue creada en el año 1994 por Elke Lingelbach cuando intentaba programar variantes de la rejilla de Hermann. Hasta ahora no se han podido aclarar las causas de esta impresionante ilusión.

Ostereicher
Ferrischer. Wein.

IMÁGENES AMBIGUAS Y REVERSIBLES, ACERTIJOS

¿Se ha preguntado alguna vez cómo es posible que veamos en tres dimensiones? Lo aceptamos como algo natural, pero tras ello se oculta un proceso sumamente complejo. La realidad tridimensional aparece en nuestra retina sólo como imagen bidimensional. El cerebro tiene que descifrar esa imagen y reconstruirla en tres dimensiones. Tal como ilustran en este capítulo las imágenes reversibles, en ese proceso no siempre existe una única posibilidad de interpretación. Junto a tales imágenes, también existen otras representaciones fascinantes que permiten más de una interpretación. No importa que reconozca una vela o dos perfiles, una rana o un caballo, una o varias figuras: no hay interpretaciones «erróneas» o «correctas», sino múltiples variantes de la percepción.

Una obra de Giuseppe Arcimboldo del siglo XVI: distintos utensilios de cocina forman una figura extraordinariamente interesante.

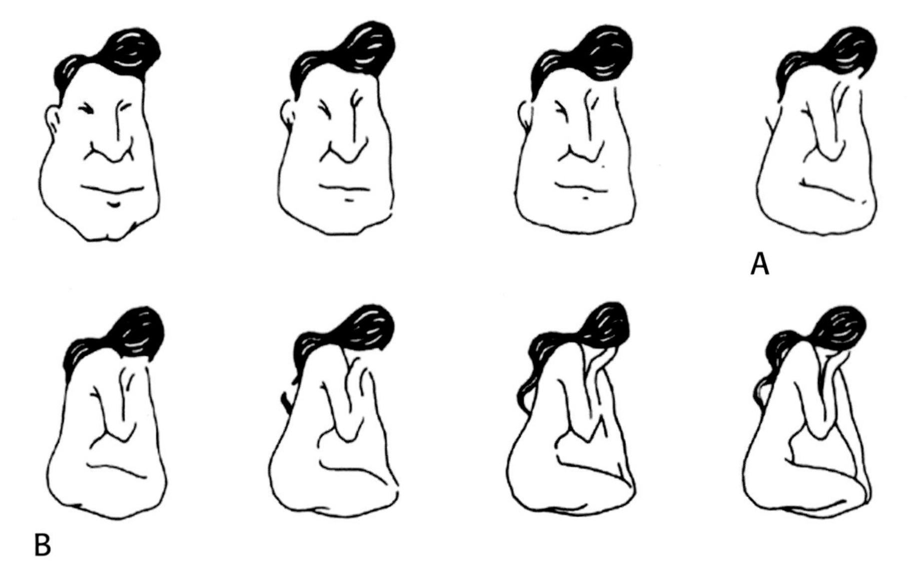

¿El rostro de un hombre o una figura femenina?

Observe estas ocho figuras siguiendo el orden. El rostro de un hombre se va transformando en una figura femenina. Es interesante destacar que las personas a las que sólo se les muestra la fila superior no distinguen una figura femenina en la imagen A y, al contrario, si sólo se les enseña la fila inferior, no ven el rostro de un hombre en la figura B. Sin embargo, ambas imágenes son casi idénticas. Esto demuestra que la interpretación de un motivo viene marcada por las imágenes contiguas.

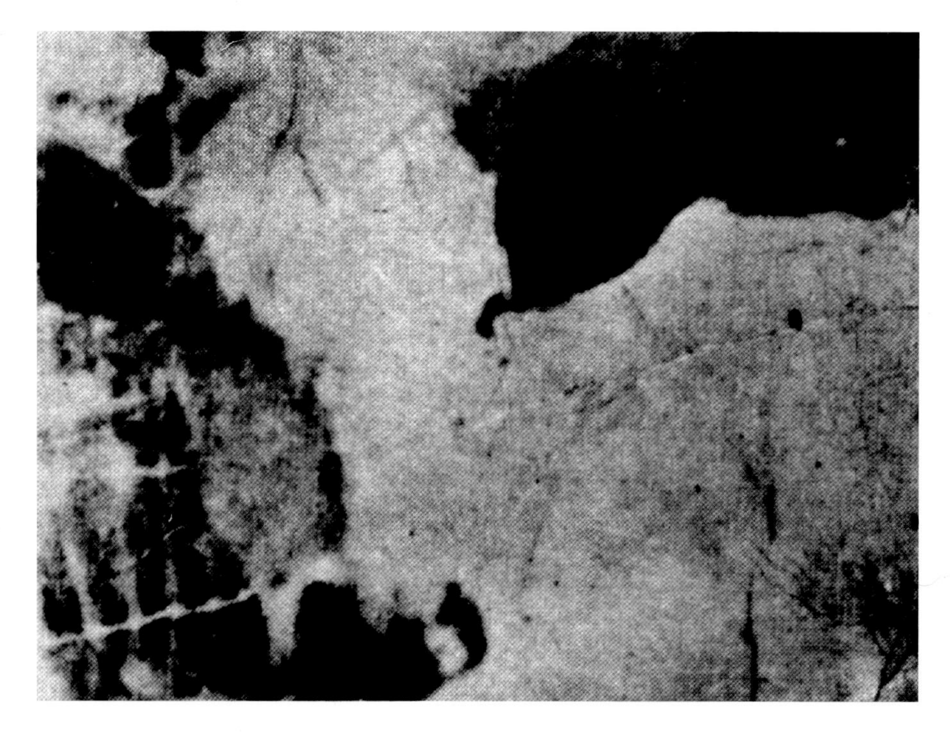

¿Distingue un animal en esta imagen?

Una vez se distingue el animal en las superficies blancas y negras, cuesta entender que alguien no pueda reconocerlo: se trata de una vaca. La cabeza cubre la mitad izquierda de la imagen. Las manchas negras del margen inferior forman el hocico. Más arriba, otras manchas, también negras, reproducen los ojos y las orejas.

Todo el mundo ve el gato, pero ¿dónde está el ratón?

¿Qué opinaría el gato de esta imagen? Ell ratón se encuentra en medio de su cara. Las orejas del roedor son los ojos del gato, los ojos del primero son la nariz del segundo y ambos animales comparten el mismo morro. Una manera inteligente de esconderse, ¿no le parece?

Además de la rana, aquí puede verse otro animal. ¿Dónde está?

Para percibir el segundo animal hace falta girar la imagen 90° en el sentido de las agujas del reloj. Entonces enseguida reconocerá la cabeza de un caballo. Una vez lo hemos descubierto, al observar la imagen en su posición normal, nuestra percepción salta de la rana al caballo y viceversa.

¿De dónde salen estos camellos?

Lo que en un cómic o en el cine de animación tendría que realizarse con muchas imágenes sucesivas, aquí aparece en una sola ilustración: los espacios vacíos que se forman entre dos palmeras se convierten en camellos a medida que la mirada pasea hacia la derecha. Para esta transformación hacen falta muy pocos cambios; no obstante, la transición no es abrupta, sino armónica y fluida.

Octavio Ocampo, *El Calvario*

¿Ve algo extraño en esta pintura?

Contemple primero la pintura a cierta distancia. Le parecerá ver un cuadro que representa a Jesucristo en la cruz, igual que puede verse en miles de iglesias. Sin embargo, si mira con más atención, comprobará con asombro que este cuadro, aparentemente homogéneo visto a distancia, supone una combinación de muchos motivos, relacionados todos ellos con la Crucifixión.

Sandro Del-Prete, *Don Quijote*

¿Qué ve en este cuadro?

Esta obra del pintor suizo Sandro del Prete, creador de numerosas pinturas a las que él llama «Illusorismen», muestra un retrato de Don Quijote, el héroe trágico de la novela homónima de Miguel de Cervantes que libró una célebre batalla contra unos molinos de viento. El ojo derecho, la nariz, la boca y la barba del retrato representan al héroe de cuerpo entero, montado a lomos de su caballo Rocinante. En el fondo se aprecian los molinos.

Octavio Ocampo, *La familia del general* (1990)

¿Cuántos rostros se ven en este cuadro?

Al contemplar fugazmente esta pintura de Octavio Ocampo, sólo vemos el perfil de un hombre anciano con barba. Pero, si miramos la imagen más de cerca, reconoceremos que la parte anterior del rostro muestra a un hombre con sombrero y bastón, en tanto que la parte posterior de la cabeza representa a una mujer con un bebé. Observe también con atención el remate del muro: allí se forman otros cuatro rostros de perfil y uno frontal.

Salvador Dalí, *Desaparición del busto de Voltaire* (1941), Dalí Museum, St. Petersburg, Florida

¿Qué célebre filósofo se oculta en esta pintura y dónde está?

Concéntrese en la parte izquierda del cuadro. La arcada de la izquierda representa el cráneo, los rostros de las dos figuras que entran por la arcada corresponden a los ojos y algunas partes de sus cuerpos forman la nariz, la boca y la barbilla de... Voltaire, el gran filósofo de la Ilustración. El autor de este cuadro no es menos conocido: se trata de Salvador Dalí, uno de los artistas más importantes del surrealismo.

Giuseppe Arcimboldo, *El verano* (hacia 1580), Brescia

¿Qué representa este montón de frutas y verduras?

En realidad, no se trata simplemente de un montón de frutas y verduras colocadas sin orden ni concierto, sino de la composición logradísima de una figura femenina, tendida de lado y recostada en la pared, que gira hacia la izquierda la cabeza, cubierta con un sombrero: una obra del pintor italiano Giuseppe Arcimboldo del siglo XVI.

Salvador Dalí, *Cisnes reflejando elefantes* (1937), Colección privada

¿Qué animales inmortalizó Salvador Dalí en esta pintura?

Esta pintura del año 1937 constituye la traslación artística de un «descubrimiento» que Dalí realizó mientras contemplaba unos cisnes en un lago: la imagen reflejada de las aves presenta grandes semejanzas con la cabeza de un elefante. Así, en el centro del cuadro se encuentran tres cisnes cuya imagen reflejada en la superficie lisa del agua permite distinguir tres elefantes.

Octavio Ocampo, *Retrato de Francisco I. Madero* (1980), Celaya

¿Qué se oculta en este retrato?

Este mural de Octavio Ocampo se encuentra en el edificio del ayuntamiento de su ciudad natal, Celaya, en México, y representa a los protagonistas de la Revolución Mexicana. El retrato grande muestra a Francisco I. Madero, líder de la revolución del año 1910. Su cabeza está formada por cinco figuras hábilmente dispuestas. Su traje reproduce la bandera mexicana. La flora muestra los alrededores de Celaya y forma los atuendos de los hombres.

Giuseppe Arcimboldo, *La primavera* (1589), Louvre, París

¿Arreglo floral o retrato de mujer?

¡Ambas cosas! Giuseppe Arcimboldo creó una imagen ambigua mediante la ordenación artística de flores y hojas. Al contemplar la obra a distancia, distinguimos a una mujer con un tocado de flores en la cabeza; si nos fijamos más atentamente, veremos que hasta el más pequeño detalle del rostro está compuesto por flores.

¿Qué figuras ocultas contiene este cuadro de Dalí?

A primera vista, percibimos montañas, arena, varias personas y cuatro hogueras. Sin embargo, tres de esos personajes, situados en el centro del cuadro, forman el retrato del poeta español Federico García Lorca. Y, si seguimos el humo de las hogueras hacia arriba, comprobaremos con asombro que reproducen la imagen de un gran perro blanco, un afgano.

Salvador Dalí, *Afgano invisible* (1938), colección privada

¿Dónde ha representado Dalí la «metamorfosis de Narciso»?

En la parte izquierda del cuadro, a orillas del lago, se encuentra la figura de un hombre sentado. Representa a Narciso, un personaje de la mitología griega que se enamoró de su propia imagen reflejada en el agua de un manantial. Incapaz de desprenderse de aquella visión, finalmente murió y se transformó en una flor: un narciso, que también se puede ver en este cuadro.

Salvador Dalí, *La metamorfosis de Narciso* (1937), Tate Gallery, Londres

¿Qué misterio encierra esta imagen?

¿No descubre nada aterrador? En ese caso, observe con atención el espejo. Su contorno representa una calavera, donde la cabeza de la mujer y su imagen reflejada en el espejo forman las cuencas de los ojos. Una vez descubierta esta versión de la imagen, cobra sentido la frase insertada en la parte inferior: *All is Vanity* («todo es vanidad», todo es efímero).

¿Distingue la figura de Napoleón?

A primera vista, sólo se ven árboles a orillas del mar y una lápida en primer plano. Sin embargo, si observa atentamente el espacio vacío que se forma entre los árboles, podrá distinguir la silueta de Napoleón, con el famoso bicornio en la cabeza. La figura se perfila con los troncos de los dos árboles. Napoleón tiene los brazos cruzados y contempla su propia tumba.

¿Ve a Jacques y a Jack?

¿No? Entonces fíjese con más atención en la hoja de arce de la bandera canadiense. En ella se pueden distinguir dos rostros de perfil: los entrantes de la hoja en la parte superior izquierda y derecha forman sus largas narices. Dado que en Canadá hay dos idiomas oficiales, los canadienses llaman a esos personajes Jacques y Jack.

¿Qué ve en esta imagen?

Esta representación es un buen ejemplo de que, si contemplamos largamente una imagen ambigua, somos incapaces de comprometernos en la interpretación del objeto, puesto que nuestra percepción varía. En este caso, podemos distinguir de forma alterna una vela blanca encendida o dos rostros negros de perfil.

Octavio Ocampo, *Lupe* (1982)

¿Cuántas personas ve en esta pintura?

Esta pintura demuestra de manera impresionante que las imágenes ambiguas y complejas pueden parecer totalmente homogéneas si se contemplan a cierta distancia. Sólo al mirar el cuadro de cerca, apreciaremos que el rostro de la mujer morena está formado por una bailarina y dos figuras masculinas.

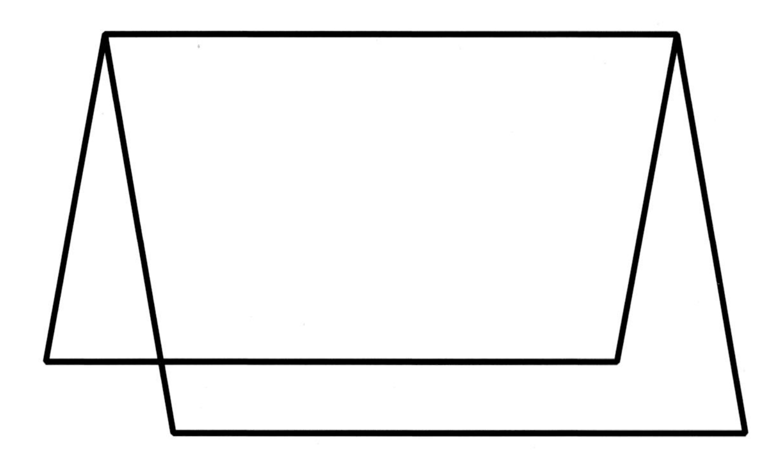

¿Qué lado de esta figura está delante?

Una breve ojeada a este dibujo y parece que ya tengamos la respuesta. Pero ¡cuidado! Si miramos la imagen un buen rato, la figura cambia bruscamente: el lado que antes estaba detrás se sitúa de repente delante. Al principio, este cambio de perspectiva se produce espontáneamente, el observador no puede influir en la percepción. Con el tiempo, sin embargo, se puede controlar sin problemas.

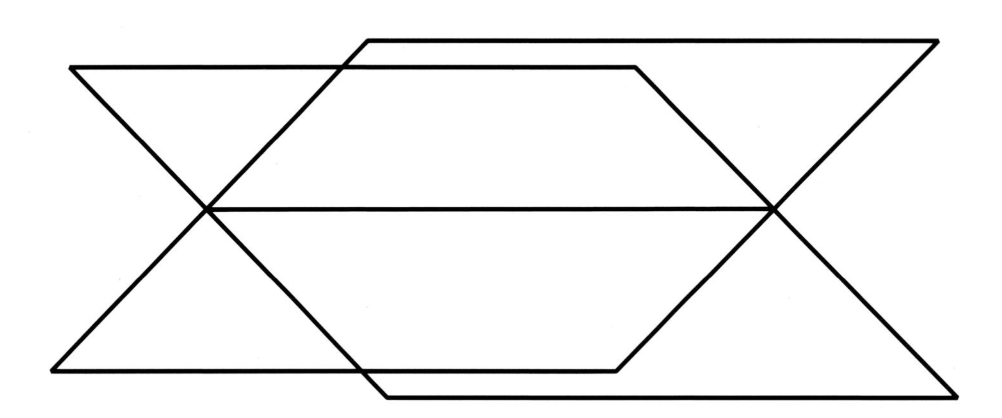

¿Puede modificar la perspectiva de esta figura?

Esta figura es otro ejemplo de figura reversible: dos superficies delgadas pueden, de forma alterna, situarse delante. Nuestro cerebro nos ofrece varias interpretaciones. Aunque este proceso de nuestro cerebro puede desconcertarnos a veces cuando contemplamos un objeto inmóvil, en la vida cotidiana, esa capacidad de «percepción multiestable» resulta muy importante para nosotros.

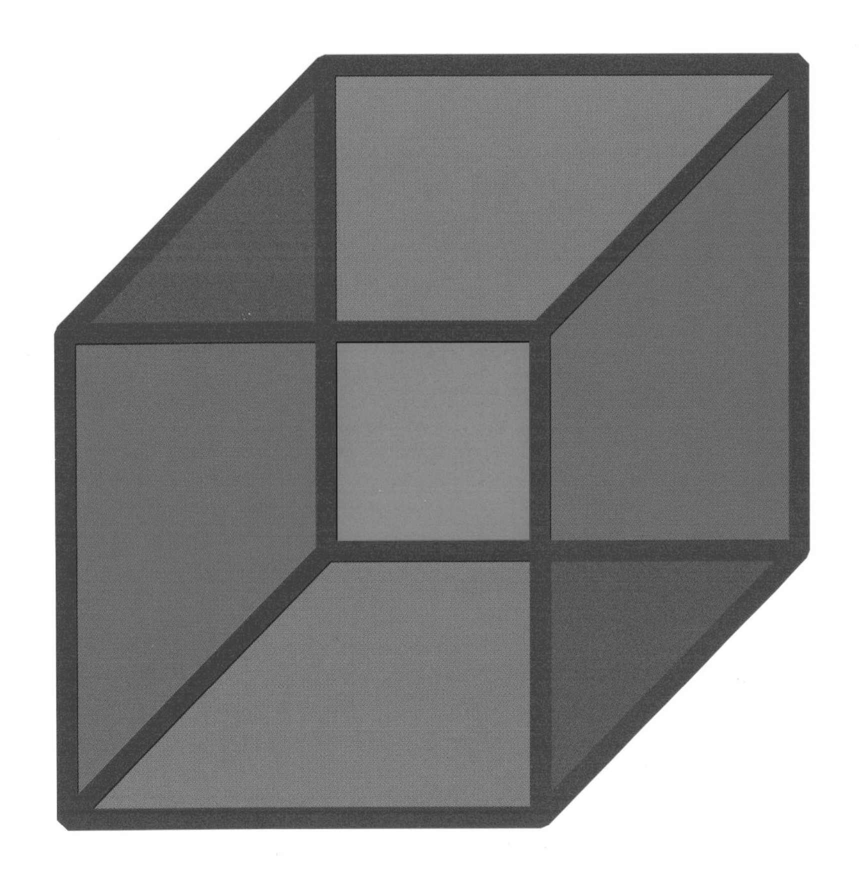

¿Qué superficie de este cubo se sitúa en primer plano?

El llamado «cubo de Necker» es una de las figuras reversibles más conocidas. En este caso, también se presentan dos alternativas distintas de percepción espacial: no se puede determinar con exactitud qué lados forman la cara frontal y cuáles la cara posterior, puesto que saltan constantemente de una posición a otra.

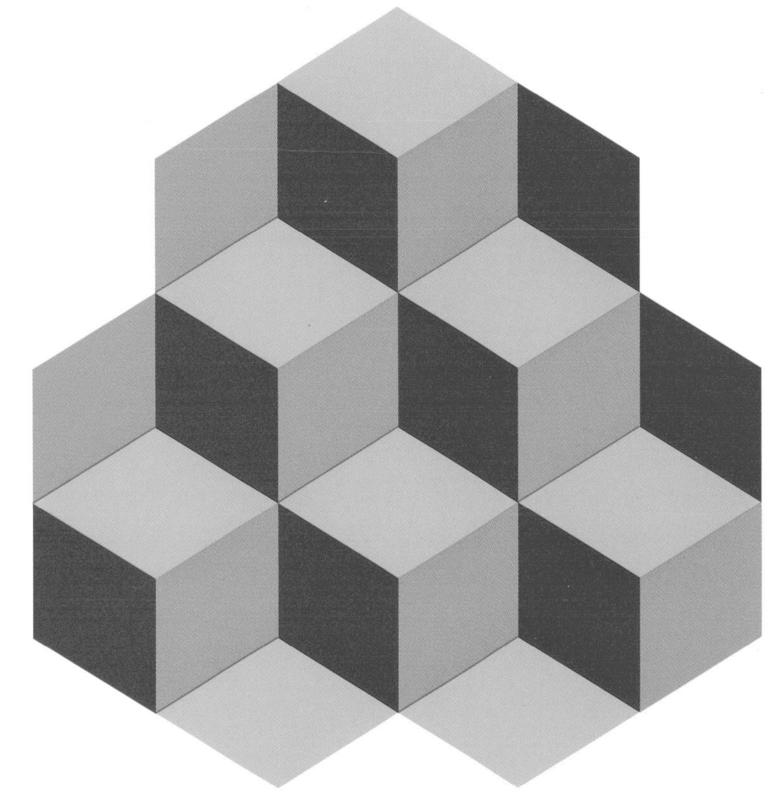

¿Cuántos cubos pueden verse en la figura?

Depende de cómo contemplemos los cubos. Las superficies de color turquesa se pueden definir como cara inferior o superior del cubo. En función de la perspectiva, se puede concluir que en esta figura es posible distinguir seis o siete cubos.

FIGURAS, OBJETOS E IMÁGENES IMPOSIBLES

¿Cree que las leyes de la física, de las matemáticas y de la geometría son irrevocables? ¿Que siempre existe un arriba y un abajo, que las escaleras siempre conducen a algún sitio o que los ángulos interiores de un triángulo suman inevitablemente 180°? En tal caso, deje que los ejemplos siguientes le convenzan de lo contrario. Artistas célebres como M. C. Escher, István Orosz, Sandro del Prete y Oscar Reutersvärd han creado imágenes y objetos que hacen tambalear nuestras convicciones más firmes. A veces no vemos nada raro a primera vista, pero a medida que nos fijamos en los detalles, descubrimos más elementos que parecen oponerse a las leyes de las ciencias naturales. El arte nos ofrece lo que no consigue la realidad: una mirada a un fantástico mundo imposible.

Una construcción imposible en la realidad: la parte superior de esta obra de David MacDonald muestra una terraza vista desde abajo; la parte inferior muestra una perspectiva de dicha terraza desde arriba.

István Orosz, *Escalera* (2000)

¿Qué es lo que no encaja?

Esta ilustración del artista húngaro István Orosz contiene una serie de curiosidades. Observe primero la escalera situada en primer plano. Dos personas recorren los escalones en la misma dirección. Pero una baja y la otra sube. ¿Cómo puede ser? Y ¿qué ocurre con la superficie blanca que vemos en la parte superior de la imagen? ¿Representa una pared o es el suelo? En esta ilustración, no se puede determinar nada de manera inequívoca. Todo es cuestión de perspectivas. Para subrayar aún más las curiosidades, Orosz mezcla estilos de vestimenta: en la imagen aparecen personajes vestidos tanto con trajes de época como con ropa actual. Un juego desconcertante con el tiempo y el espacio.

¿Cuál es el lado interior y cuál el lado exterior de este triángulo?

Una simple ley de la geometría señala que la suma de los ángulos de un triángulo es 180°. Esta ley queda derogada por el triángulo de Penrose: los tres lados de la figura forman ángulos de 90°. La disposición de los distintos elementos hace que nos resulte imposible decidir qué caras miran hacia el exterior y cuáles hacia el interior.

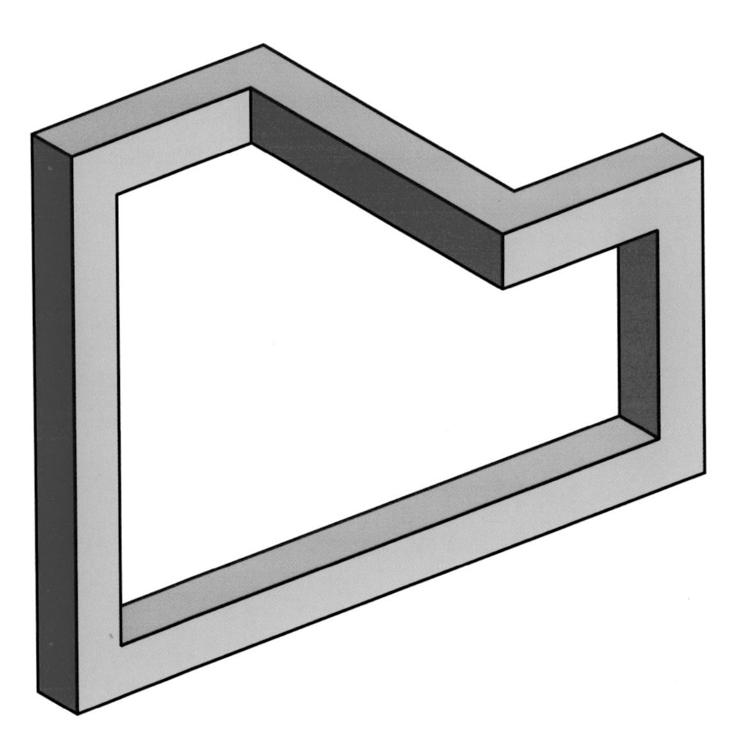

¿Por qué resulta imposible esta figura?

Este objeto también trastoca las leyes de la geometría. Si la barra superior de la figura se apoya sólo en el plano horizontal (sin ángulo de inclinación), no puede crearse ninguna forma cerrada ya que las líneas perpendiculares presentan distintas alturas. Y, como puede apreciarse, el lado izquierdo es claramente más alto que el derecho.

¿Por qué no se puede construir esta columnata?

En esta imagen pueden verse claramente tres capiteles que coronan tres columnas. Sin embargo, si intentamos seguir el trazado de la columna central desde arriba hacia abajo, comprobaremos que conduce a la nada. Una interesante versión del tenedor del diablo de la página 87.

Shigeo Fukuda, *Disappearing Column*

¿Quién sube y quién baja?

Esta ilustración muestra una escalera imposible: sabemos por experiencia que, si dos personas se cruzan en una escalera, una tiene que estar bajando y la otra tiene que estar subiendo. En este ejemplo se pone en duda ese principio, puesto que ambas figuras descienden por la escalera.

¿Por qué la pelota es más ancha de abajo que de arriba?

La responsable de esta ilusión es una diferencia de refracción. Cuando la luz incide sobre un objeto, se refleja y alcanza la retina. Sin embargo, los rayos de luz se desvían cuando se proyectan en medios con distinta densidad óptica. En este caso, la luz que incide sobre la mitad superior de la pelota se refleja de un modo distinto que la que llega a la mitad inferior, puesto que los rayos se refractan de distinta manera al pasar del agua a la luz.

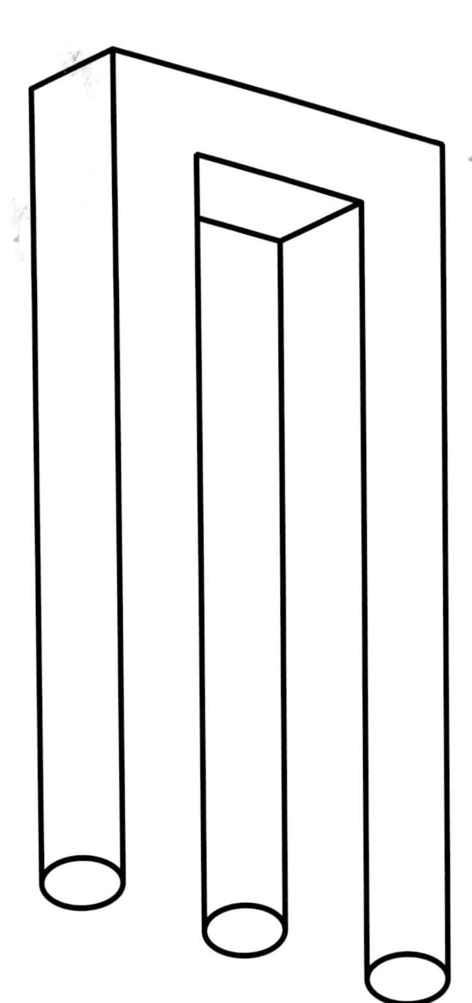

¿Por qué a este objeto se le denomina «tenedor del diablo»?

Al principio, creemos ver en la figura un objeto de tres púas totalmente normal. Sin embargo, enseguida nos preguntamos por la procedencia de la púa central, puesto que, son sólo dos las púas que salen del mango. ¿Será obra del diablo?

¿Seguro que este nudo se puede atar?

A primera vista, parece tratarse de un nudo totalmente realista. No obstante, si intenta seguir la cuerda de un extremo a otro con la vista, comprobará que resulta imposible, ya que el rastro de la cuerda se pierde al llegar a un punto determinado.

¿Son seguras las patas de este elefante?

¡Difícil de contestar! Porque ¿sobre cuántas patas se sostiene? Este elefante «imposible» es una creación del psicólogo estadounidense Roger N. Shepard. Lo desconcertante de la figura es que podemos contar claramente cuatro pies, pero no podemos determinar con total seguridad el número de patas.

Roger Shepard, *Elefante imposible*

István Orosz, *Pérgola* (1993)

¿Le gustaría sentarse bajo esta pérgola?

Aunque el escenario sea idílico y acogedor, el sistema de construcción de las columnas debería darnos qué pensar. Las dos columnas situadas en los extremos no revelan nada extraño, pero no ocurre lo mismo con las otras cuatro. Éstas no ascienden en vertical, sino hacia la parte contraria del techo. ¡Una construcción atrevida, y no sólo en lo que respecta al equilibrio!

David MacDonald, *Peregrination*

¿Aprecia algo extraño en esta edificación?

Esta ilustración contiene muchos elementos (constructivos) verticales, por ejemplo, escaleras, un sistema de poleas, columnas y similares, que parecen indicar que se trata de una construcción en forma de terrazas con una fuerte pendiente. Sin embargo, si recorremos el camino que parece conducir a un plano superior, comprobaremos que no se supera ningún desnivel. ¡Un revoltijo de perspectivas imposibles!

¿Se puede construir este objeto?

No, porque una vertical posterior cruza por delante de una horizontal anterior. No obstante, si observa un poco más la imagen, comprobará que este objeto imposible es también una «figura reversible», como las que se han presentado en el capítulo anterior. Dos posibles superficies delanteras pasan alternativamente a la parte frontal.

¿De verdad se pueden colocar los bloques de madera en esta posición?

Si echamos un vistazo a los elementos situados en los extremos de la figura advertiremos la imposibilidad de esta disposición: a la izquierda, se superponen dos bloques en vertical. A la derecha, los bloques están ordenados al revés, casi en paralelo. Puesto que todos los elementos tienen la misma altura, los bloques exteriores de la izquierda deberían estar dispuestos de igual modo que los de la derecha.

Esta puerta de jardín, ¿se abre hacia dentro o hacia fuera?

Las bisagras de las columnas nos hacen suponer que la puerta se abre hacia fuera. Sin embargo, si miramos atentamente las dos hojas de la puerta, podremos afirmar con total certeza en qué dirección están abiertas. Este ejemplo de estructura imposible es obra del artista holandés Herman Verwaal, autor también de numerosas ilusiones de movimiento.

¿Puede sentarse a la mesa y en esta silla?

En caso de que se fabricasen, la mesa y la silla de este dibujo de Herman Verwaal serían sumamente inapropiadas como objetos de uso cotidiano. Prescindiendo del hecho de que su estabilidad sería probablemente escasa, el verdadero problema se plantea ante la dificultad de localizar la cara superior y la inferior del asiento y del tablero de la mesa.

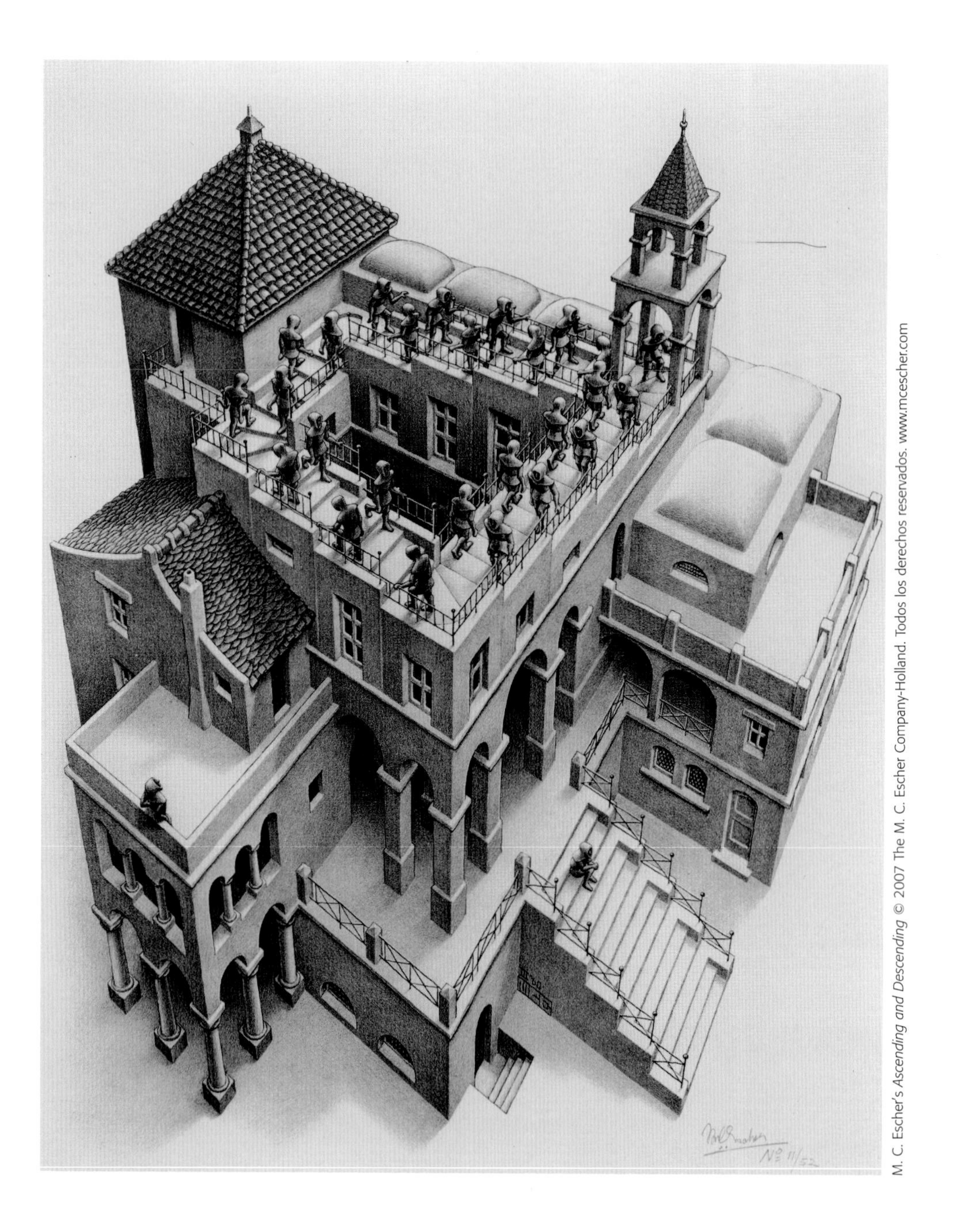

¿Conseguirán los personajes de la escalera llegar a alguna parte?

Escalera arriba y escalera abajo es el título programático de una de las ilustraciones más conocidas del artista holandés M. C. Escher. Las perspectivas imposibles y las construcciones multiestables constituyen el tema de muchas de sus obras, como ocurre en este dibujo: no importa si los personajes suben o bajan, el caso es que no llegan ni más arriba ni más abajo. Se encuentran en un bucle infinito de escalones que no conducen a ninguna parte.

¿Por qué no existen cascadas semejantes en la realidad?

Con su dibujo *Cascada*, M. C. Escher creó otra construcción imposible. En el centro de la imagen puede verse una cascada que acciona una rueda de molino, lo cual no resulta imposible. No obstante, si sigue el curso del agua, verá cómo fluye hacia arriba y se aleja del observador. Por lo tanto, el punto más lejano debería ser a la vez el punto más bajo del curso del agua. Sin embargo, en realidad es el punto más alto, desde donde el agua vuelve a caer al vacío.

Bibliografía

Artamonow, I.D.: *Optische Täuschungen,* Fráncfort del Meno, 2006

Block, J. R. und Yuker, H. E.: *Ich sehe was, was du nicht siehst,* Múnich, 2006

Ditzinger, Th.: *Illusionen des Sehens. Eine Reise in die Welt der virtuellen Wahrnehmung,* Múnich, 2006

Hollmann, E. und Tesch, J.: *Die Kunst der Augentäuschung,* Múnich, Berlín, Londres, Nueva York 2004

Kitaoka, A.: *Trick Eyes,* Nueva York 2005

Kitaoka, A.: *Trick Eyes Graphics,* Tokio 2005

Klebe, I. und Klebe, J.: *Durch die Augen in den Sinn,* Colonia 1984

Picon, D.: *Optische Täuschungen,* Colonia 2006

Rodgers, N.: *Unglaubliche optische Illusionen,* Augsburgo 1999

Seckel, A.: *Optische Illusionen,* Viena 2001

Seckel, A.: *Unglaubliche optische Illusionen,* Viena 2005

Seckel, A.: *Große Meister der optischen Illusionen,* Viena 2005

Créditos fotográficos

El pintor y diseñador de fachadas Fabio Rieti trabajando en un trampantojo en París.

Página 96: En realidad, lo que parece un salto sobre una niña dormida en el cochecito tiene lugar a una distancia segura. Campeonato de atletismo en Atlanta, Georgia, 1952.